7 bis rue de Montlhéry – 91400 Orsay
ISBN : 978-2-491683-12-2
Imprimé en Pologne
Dépôt légal : mars 2022

Romain Sion

Génération impact

Et si dès maintenant on pouvait tous agir ?

Nous pouvons tous avoir de l'impact à notre échelle !

Bonne lecture,

Romain Sion.

Baribal
ÉDITIONS

« Personne n'est né avec la haine pour l'autre du fait de la couleur de sa peau, ou de son origine, ou de sa religion. Les gens doivent avoir appris à haïr, et s'ils peuvent apprendre à haïr, ils peuvent apprendre à aimer car l'amour jaillit plus naturellement du cœur humain que son opposé. »

Nelson Mandela, *Un long chemin vers la liberté*

Préface

Toi, lecteur, qui tiens entre tes mains cette apologie de l'engagement, je te salue avec respect parce que tu as choisi, en te procurant ce manifeste, de marquer une pause dans ton quotidien trépidant, pour te demander ce que tu peux faire concrètement, pour apporter ta pierre à l'édifice.

Au règne de l'immédiateté, tu as décidé de faire un pas de côté, pour te laisser toucher par le témoignage aussi palpitant que nécessaire d'un jeune trentenaire en quête de sens. Tu fais dès lors partie des «activistes» de notre société – c'est-à-dire des acteurs qui ne se satisfont pas du seul succès rémunérateur, mais se posent la question du sens de leur vie et de leurs actions.

Et cette communauté d'activistes, à laquelle Romain et moi nous efforçons d'appartenir à notre échelle, ne doit pas être considérée en marge de notre société. Aujourd'hui, ce sentiment, cette prise de conscience que le mode de vie de chacun a des retombées sur la collectivité, tend à être de plus en plus partagé. Aujourd'hui, nous éprouvons tous, à chaque instant, le pouvoir que nous possédons en tant que consommateurs. Les entreprises sont à présent redevables de nombre de garanties vis-à-vis de leurs clients : ce sont désormais aussi aux consommateurs qu'appartient le pouvoir de changer les pratiques du marché, à grande échelle. En transformant nos habitudes de consommation, nous avons le pouvoir d'encourager les organisations à transformer leurs pratiques.

Tout mode de consommation est ainsi la manifestation d'un engagement citoyen, indépendant de toute affiliation politique. Chaque achat, chaque investissement financier que nous faisons engage notre responsabilité, dans une société où la transparence est désormais reine. Aussi, consommer n'est résolument pas une action neutre ni sans incidence. Au sein de notre système capitaliste, il dépend ainsi de notre liberté de citoyens consommateurs de façonner un monde meilleur.

Que les causes que nous portons soient d'ordre environnemental, politique, social ou sociétal, elles se rejoignent toutes autour d'une même incitation : agir mieux, pour le bien commun, c'est-à-dire ce que nous avons en partage. Une terre, un monde, un présent et un avenir.

Encore faut-il se décider à agir, tout simplement. Refuser d'adhérer aux discours pessimistes qui nous disent que tout est joué d'avance. Et à cet égard, il en va de l'avenir de la planète comme de celui de l'humanité tout entière. Quel sens, quelle saveur aurait notre vie si nous nous comportions comme des êtres purement déterminés, incapables de poser des choix propres, dépossédés de toute subjectivité et dénués de toute conscience collective ? Nous sommes tous, fort heureusement, des êtres de conscience, qui posons une infinité de choix, tous les jours, des plus prosaïques aux plus cruciaux. Et de quelque nature qu'ils soient, ils ont tous un impact sur le monde. Libre à nous de préférer l'action créatrice à l'acte égoïste. *A fortiori*, cette obligation à l'égard de la vie d'autrui est encore plus essentielle à assumer pour toutes les personnes qui sont au pouvoir – pouvoir de décision ou pouvoir opérationnel, pouvoir politique ou d'influence.

Tout au long de son parcours, Romain Sion a ainsi accepté de relever le défi de vivre en communauté : de poser des choix qui l'engagent vis-à-vis d'autres que lui, de donner un sens à son quotidien et de renouveler chaque jour ses engagements. Et c'est ce qui fait la « raison d'être » de son manifeste.

Mais aussi de sa personne joyeuse et volontaire, celle-là même que j'ai rencontrée et engagée, parce que j'ai tout de suite senti en lui quelque chose de différent. Ce quelque chose qui distingue l'homme de bien, le *kalos kagathos* des Anciens.

Cela fait maintenant plus de six ans que j'ai la chance de côtoyer Romain et de suivre son évolution. D'abord stagiaire au sein de mon entreprise, il a véritablement grandi chez Blisce en acceptant sans hésiter les nouveaux défis qui s'offraient à lui. Romain a habité son poste avec brio, non seulement en raison de ses talents et de ses qualités humaines exceptionnelles, mais aussi parce qu'il est convaincu, comme tous les « activistes du bien social », que l'investissement financier peut être à la fois rentable et durable. C'est fort de cette conviction que, tout naturellement, Romain s'est approché des plus grands investisseurs de France comme d'Europe, sans crainte ni timidité : ses qualités humaines ont fait le reste. Doté d'une grande intelligence sociale, il a cette faculté d'écoute et d'adaptation toute particulière qui lui permet, dans un bureau parisien comme dans les bidonvilles de Kibera, au Kenya, de comprendre les besoins de ses interlocuteurs. Alors même qu'il pouvait poursuivre une carrière dans n'importe quelle structure financière, Romain a choisi de mettre ses talents au service de la solidarité.

Aujourd'hui, sans grande surprise, Romain se révèle être, chez Blisce toujours, un excellent investisseur. Si son expertise est évidemment très appréciée, son enthousiasme et son implication au travail proviennent surtout, selon moi, de sa générosité de cœur. Il tire véritablement sa motivation des causes sociales qu'il pourra soutenir à travers l'entreprise. L'exemple de son engagement tous les ans à consacrer ses vacances à des causes sociales est, à ce titre, absolument unique. Romain a su articuler son travail chez Blisce avec son désir d'aider personnellement les organisations sociales soutenues par la Fondation Epic. L'admiration dont il témoigne dans les pages qui suivent pour les organisations sociales qu'il a pu aider confirme notre conviction commune : les entreprises ont aujourd'hui tout intérêt à investir dans des organisations à l'impact positif, et quantifiable, sur une collectivité.

L'éveil des consciences sur les inégalités sociales et le besoin de plus en plus pressant de transparence des activités bouleversent aujourd'hui les mondes de la finance et de l'entrepreneuriat. Avec la mondialisation des échanges, il est difficile d'ignorer les inégalités sociales et les catastrophes environnementales. Nous avons besoin d'acteurs et de modèles économiques à la hauteur des enjeux que nous vivons. Non seulement conformes aux objectifs sociaux et environnementaux, mais qui contribuent aussi, concrètement, à rendre le monde durable. Ce qu'on appelle la « finance positive » est l'illustration de cette révolution des mentalités : investir dans des organisations sociales qui atteindront d'autant mieux leurs objectifs qu'elles pourront compter sur des outils de pointe. Bref, Romain comme moi avons ce rêve de réconcilier durablement la finance, l'entrepreneuriat et le social dans de nouveaux paradigmes performants et durables.

Si son auteur est un jeune « millénial » comme il aime à se désigner lui-même, ce livre s'adresse pourtant à tous les âges, tous les profils. Parce que le message qu'il porte est une invitation, adressée à tous les « activistes sociaux ». Oui, nous affirme Romain, il est possible de contribuer à rendre le monde plus juste et plus durable avec des méthodes capitalistiques. Oui, les organisations sociales gagnent en efficacité lorsqu'on leur donne les moyens d'opérer leur transformation digitale. Oui, la mesure de l'impact positif d'un organisme lui garantit sa rentabilité autant que sa pérennité. Oui, les quatre principales sphères d'influence qui régissent notre société, le monde de l'entreprise et de la finance, celui des associations, la sphère politique et la sphère médiatique, ont chacune un rôle à jouer aux côtés des organisations sociales.

Ce n'est qu'en mutualisant nos efforts et en mettant chacun nos talents à contribution que nous réussirons à améliorer le quotidien du plus grand nombre. Et c'est le message que nous délivre Romain, à travers le récit de ses aventures personnelles et de ses expériences professionnelles. Que cette lecture te fasse voyager à travers continents et environnements, et qu'elle puisse inspirer ton quotidien !

Belle lecture !

Alexandre Mars
Entrepreneur, philanthrope et auteur

Introduction

Il doit être sept heures du matin lorsque le réveil sonne dans les quartiers cossus de Bandra, à Bombay, en Inde. Après un petit déjeuner éclair, j'ai pris l'habitude de traverser toute la ville à moto-taxi pour me rendre chez Apnalaya, une ONG située en plein cœur de la décharge de Shivaji Nagar. La localité ne bénéficiant d'aucune infrastructure publique, je termine parfois la route à pied en marchant dans une crasse nauséabonde dans laquelle disparaissent mes baskets de toile. Je veux absolument terminer l'installation d'un nouveau logiciel informatique avant mon départ qui permettra de gagner plusieurs jours de travail par manager et par mois. Cette première aventure au service d'une organisation sociale a été d'une violence sans nom, parce que c'est la première fois que j'ai éprouvé aussi fortement et directement les inégalités sociales, économiques et politiques. En effet, je côtoyais pendant la journée des familles dont les membres, si l'on en croit les statistiques, ne vivaient pas au-delà de quarante ans. Tandis que, le soir, j'étais invité au Yacht Club avec les 0,01 % les plus aisés de ce pays pétri de contradictions, terriblement pauvre mais à la pointe dans de nombreux domaines, de la technologie à la recherche scientifique. Depuis cette première aventure, il y a six ans, j'ai fait le choix de consacrer 80 % de mes vacances à des organisations sociales exceptionnelles.

Actuellement directeur en charge de la zone Europe d'un fonds d'investissement, je n'oublierai jamais le 3 avril 2018, alors que je me trouvais dans une grande banque new-yorkaise, lorsque Spotify est entré à Wall Street. En quelques secondes, les compteurs se sont affolés alors que des centaines de millions de dollars d'actions étaient achetées par des traders du monde entier. Pourtant, derrière l'adrénaline et les paillettes, j'ai pris conscience de certaines limites du capitalisme tel qu'il se déploie depuis quelques décennies. Bien aidé pour cela par la découverte d'un immense mensonge sur lequel reposait la réussite d'une entreprise anglaise dans laquelle j'ai été auparavant stagiaire. De ces premières expériences, j'ai tiré la conviction qu'il est urgent que les entreprises deviennent enfin les moteurs d'un changement profond et radical. Qu'elles intègrent leur rôle de meneur, en prenant comme fondement leur responsabilité sociale et environnementale. Est-il encore acceptable qu'une entreprise ne paye pas d'impôts, ou qu'elle se désintéresse complètement de l'avenir des employés dont elle doit se séparer ? En tant qu'investisseur, dans quelle mesure est-il possible d'avoir une influence sur ces enjeux majeurs ?

Et pourtant, si je prends la plume aujourd'hui, ce n'est pas pour « produire » un « rapport d'étonnement ». J'écris, aujourd'hui, parce que nous vivons des temps troublés, qui réclament de nous davantage qu'une simple analyse. Certes, quand on allume la télévision, il y a de quoi avoir le moral dans les chaussettes : des attentats terroristes aux violences conjugales, du démantèlement hypermédiatisé d'un cartel de la drogue à la litanie des morts du Covid, le sang dégouline de nos écrans pour gonfler les audiences. Alors qu'au même moment, des actions positives et des combats louables menés sans relâche aux quatre coins du monde restent sous le radar des journaux télévisés.

C'est donc pour ne pas céder au défaitisme, persuadé que le monde offre plus que ce que l'on nous en dit, que j'ai décidé de prendre la route. De partir à la rencontre de ces femmes et de ces hommes qui rendent le monde meilleur. Cette démarche m'a fait traverser quatre continents et une soixantaine de pays afin d'explorer quatre grandes sphères d'action et d'influence : les ONG et les associations ; les entreprises et la finance ; la politique et les élus ; et enfin la presse et les médias. D'une certaine manière, ces quatre milieux régissent nos sociétés et ordonnent la vie de tous les habitants de la planète bleue. Je n'ai pas du tout la prétention de tout connaître ni de tout savoir. Mais je voudrais simplement partager ce que j'ai vu et ce que je crois, en tant que jeune trentenaire à la recherche de clés de lecture permettant de mieux comprendre. Et de mieux agir, à mon échelle, en vue d'un monde meilleur.

Dans l'arène où se confrontent ces deux mondes presque antagonistes, ces deux modes de pensée et d'action que sont celui des associations et celui des entreprises, la politique et les médias semblent tenir des rôles d'arbitres et d'influenceurs. J'ai l'intime conviction que leurs missions doivent être clarifiées, réaffirmées aujourd'hui.

Dans cette quête, je suis animé par des convictions qui agissent comme une boussole et m'obligent à prendre part à la redéfinition du monde qui vient. Forgées au fil de ce que j'ai vécu, elles sont le fruit d'une expérience somme toute ordinaire. Et pourtant singulière, car cette aventure est la mienne.

Après avoir retracé avec vous cette traversée des grandes « sphères d'action » de notre époque, je vous ferai partager une vision de ce que j'espère à travers un voyage temporel et imaginaire en 2050 sous forme de conte. Une occasion de brosser un nouveau mode de vie et de pensée, nourri par ce que j'ai déjà vu et vécu.

Vous connaissez désormais l'ambition de l'ouvrage que vous avez entre les mains. J'espère que vous y trouverez quelques bonnes idées, quelques pistes de réflexion. Et, surtout, qu'il fera écho à ce que vous vivez vous aussi. Parce que c'est finalement l'unique ambition de ce livre : mettre des mots sur l'expérience commune.

Partie I

Ce que j'ai vu

Afin de comprendre le monde qui nous entoure, j'ai donc décidé de prendre la route à la rencontre de personnes dont le combat est d'améliorer les choses. L'immersion dans l'écosystème des associations et des ONG, tel était en effet le cœur de mes explorations.

Cette aventure a démarré à la sortie de mon stage de fin d'études. Je n'avais pas des millions d'euros à donner comme les grands philanthropes, mais j'avais du temps et des compétences fraîchement acquises. C'est ainsi que j'ai décidé de me mettre au service d'associations exceptionnelles en leur consacrant 80 % de mes congés.

J'ai beaucoup appris et reçu en m'investissant dans des projets fous aux quatre coins du monde, des quartiers nord de Marseille à la jungle ougandaise en passant par l'une des décharges les plus pauvres d'Inde. Concrètement, dès qu'une ONG exprime un besoin en lien avec mes compétences, telles que la mesure de l'impact de ses actions ou la digitalisation de son système, et si le premier contact présage des échanges enrichissants, je prépare mon sac et me lance dans l'aventure. Une fois de plus, comprenez bien : je ne suis ni un expert ni un spécialiste du monde associatif. Juste un trentenaire partageant ses expériences telles qu'il les a vécues.

Les chiffonniers de Shivaji Nagar, en Inde

Puis-je aider sans pour autant avoir d'expérience dans le monde associatif ? À quoi ressemblent les inégalités sociales en dehors de la France ? L'innovation du monde start-up pourrait-elle aussi profiter aux ONG ?

Un jour de juin, en fin d'après-midi, j'ai reçu le feu vert d'Apnalaya[1]. C'est une association située sur la décharge de Shivaji Nagar, dans la périphérie de Bombay, en Inde. Portés sur l'innovation, les membres de l'association étaient très intéressés par un regard extérieur capable de digitaliser leur système d'information. Je ne connaissais rien d'eux si ce n'est qu'on m'en avait dit le plus grand bien. Et cela m'a suffi.

Dès que j'ai posé le pied en dehors de l'aéroport de Bombay, en pleine mousson, j'ai été interpelé par une vague de motos-taxis identiques, appelés *rickshaws*, se bousculant pour me proposer leurs services. Un aspect parmi d'autres du choc qu'a représenté pour moi la découverte de l'Inde. Car je ne m'attendais absolument pas à une telle densité de population au mètre carré. Après plusieurs semaines sur place, je n'étais d'ailleurs pas au bout de mes surprises sur le sujet. Comment aurais-je pu imaginer des individus voyageant entre les wagons d'un train ? Ou bien qu'il était possible de dormir dans un placard ? Un autre élément qui m'a marqué, ce sont les inégalités sociales prégnantes au sein de la population. Sur mon trajet quotidien vers Apnalaya, je passais ainsi devant une résidence de milliardaire somptueuse de plusieurs dizaines d'étages, qui surplombait des taudis crasseux dans lesquels vivaient des dizaines de familles.

L'association était située au beau milieu d'un labyrinthe de ruelles étroites, de sorte que je devais terminer le chemin jusqu'à Apnalaya à pied. Je passais ainsi tous les matins devant des charcutiers accrochant à leur vitrine des pièces de viande couvertes de mouches, des cireurs de chaussures sur le départ, des mères de famille en train de cuire des chapatis, ou encore des chiffonniers triant leurs trouvailles dénichées la veille dans la décharge. Parce que j'étais l'unique Blanc des environs, les gens m'épiaient les premiers jours avec un regard inquisiteur. Au bout de plusieurs semaines toutefois, à partir du moment où ils avaient compris pour qui je travaillais, c'est avec un large sourire qu'ils m'accompagnaient.

Lors de mon arrivée, j'ai été chaleureusement reçu par toute l'équipe. Et notamment par Anju et Rama, deux directrices de programmes qui m'en ont dit un peu plus sur l'association. L'ONG avait été créée en 1973 à la suite du déplacement forcé d'une communauté à dominante musulmane. Sur la base d'une approche intégrée et durable, l'équipe concentrait son activité sur l'enfance et les femmes, déclinée en trois programmes : Santé et handicap, Genre et qualité de vie, Éducation et citoyenneté.

Les terrains sur lesquels vivaient les habitants de Shivagi Nagar avaient été revendus à des hôtels de luxe, obligeant alors la population à migrer vers une zone périphérique servant de décharge. Délaissés par un gouvernement à majorité hindoue et ne bénéficiant d'aucune infrastructure publique, ils vivent actuellement dans une misère sordide, dans un espace où plus de trente-sept tonnes de détritus supplémentaires s'accumulent chaque jour. Imaginez un mur d'ordures d'une douzaine de mètres de haut sur un rayon de plusieurs centaines de mètres. Un mur que les chiffonniers, dont de nombreux enfants, gravissent par dizaines tous les matins à la recherche de matériaux qu'ils pourraient revendre. C'est devant ce tableau dantesque qu'Apnalaya a vu le jour et forgé sa mission : venir en aide à ces familles abandonnées à leur propre sort. Sans aucune mesure de protection pour la population, la pollution de ce lieu est extrême. Pendant la mousson, tous les produits toxiques et la crasse de la décharge se déversent dans les maisons situées en contrebas, provoquant inondations et épidémies.

Certains jours, comme n'importe quel habitant du quartier, je n'ai d'ailleurs pas eu d'autre choix que de marcher avec mes chaussures de toile dans l'eau noire et vaseuse montant au-dessus de mes chevilles.

Pour moi, cette aventure fut extrêmement violente. Comme je l'ai déjà écrit, avant tout socialement. Connaissant l'attaché de presse du consul de France en Inde, j'étais régulièrement invité à de belles soirées au Yacht Club et côtoyais ainsi la petite minorité des plus fortunés du pays. Pourtant, pendant la journée, j'étais avec des enfants, des femmes et des hommes qui, statistiquement, parce qu'ils manquaient de tout, ne vivraient sans doute pas au-delà de quarante ans. Je n'oublierai jamais cette mère en détresse dans un centre dédié aux soins qui ne savait plus quoi faire alors que son bébé se laissait mourir, symptôme d'une malnutrition aiguë. Après un traitement intensif de son enfant pendant quelques semaines, elle était revenue à l'association folle de joie : son bébé s'était remis à pleurer, à sourire et même à jouer ! L'aide qu'elle avait reçue avait déjoué la fatalité de la misère, puisque l'enfant vivrait.

Comme la plupart des associations, Apnalaya dipose d'un budget limité. Pourtant, pour assurer une allocation optimale de ses ressources financières et humaines, cette ONG a décidé de collecter les données de terrain et de les analyser elle-même. Cette approche innovante allait sauver des vies, l'association en était convaincue. L'approche traditionnelle aurait par exemple voulu que l'association explique le taux de mortalité important des mères et de leurs enfants par l'absence d'encadrement médical ou par son coût rédhibitoire pour les familles, et qu'elle propose ainsi d'envoyer des médecins à domicile pour assister les futures mamans. Mais ce type d'intervention aurait été très coûteux et fragile, puisqu'à la moindre difficulté financière de l'association l'aide se serait tarie. À l'inverse, en commençant par collecter et analyser les données sur le terrain, ils ont fait des constats édifiants. Le premier est que, pour bénéficier de soins gratuits dans les hôpitaux publics en Inde, il est obligatoire de présenter ses papiers d'identité. Or, 99 % des habitants de la décharge n'en disposaient pas. Car, pour obtenir ce document, il est nécessaire de fournir un certificat de naissance que 80 % des habitants n'avaient pas non plus. À la suite de ces découvertes, Apnalaya a préféré investir dans un programme de sensibilisation et de soutien administratif destiné à apprendre aux habitants à demander ces documents eux-mêmes. Ils ont ainsi loué un local, acheté des ordinateurs, engagé un employé pour superviser le travail et alloué un budget pour payer des tickets de bus permettant de se rendre à l'hôpital le plus proche. Avec le recul, ils se sont rendu compte qu'une fois que 40 % des habitants d'un quartier savaient effectuer les démarches seuls, ils pouvaient se former entre eux. Grâce à ces données, le budget est resté raisonnable et les avancées se sont avérées efficaces et durables : en 2018, 98 % des femmes de Shivaji Nagar se rendaient à l'hôpital pour accoucher !

Je m'étais rendu compte que chaque manager passait jusqu'à quatre jours par mois à consolider sur papier les données récoltées par son équipe afin de préparer les réunions de comité mensuelles. Grâce à l'utilisation de logiciels et de smartphones, nous avons réduit ce temps à quelques clics. Tous les travailleurs sociaux de l'ONG disposant d'un smartphone, nous avons créé des formulaires digitaux permettant de collecter les données sur le terrain, et de les transférer automatiquement sur le cloud à la première connexion wifi au bureau. Ces données étaient ensuite traitées par le logiciel Tableau Software, qui générait graphes et analyses quantitatives à destination du comité de direction. Avant de rentrer en France, j'ai donc pu former les membres de l'association à l'utilisation de cet outil mis gratuitement à la disposition des ONG. Ce que j'ai vécu avec le staff d'Apnalaya a représenté une aventure humaine exceptionnelle. Et une occasion de prendre conscience que je pouvais contribuer, à ma petite échelle et grâce à mes compétences, à combler des besoins précis.

Cette expérience a été également une manière de mesurer l'intérêt vital pour les ONG de bénéficier d'outils innovants capables de décupler leur portée. Alors que la technologie et la R&D sont de formidables catalyseurs d'innovation pour les entreprises, pour lesquelles elles investissent d'ailleurs tous les ans des sommes astronomiques, les associations doivent pouvoir elles aussi bénéficier de solutions dernier cri pour gagner en efficacité et en productivité.

Au cours de mes voyages, j'ai rencontré d'autres organisations convaincues de cela. C'est le cas de l'ONG Friends International au Cambodge, qui s'est associée avec M'lop Tapang, Save the Children, Kinnected Myanmar et Children's Future pour développer un logiciel commun en mutualisant les coûts. Dans cette même volonté d'échange, j'ai rencontré GerHub en Mongolie qui développe de nouvelles solutions d'isolation abordables pour faire face à la pollution grâce à un partenariat avec de prestigieuses universités américaines comme Stanford ou le MIT. C'est encore mieux quand les associations peuvent s'appuyer sur les avancées technologiques des entreprises. Un grand nombre d'entre elles s'y sont déjà mises, comme Salesforce, qui met à disposition de plus de quarante mille associations des licences gratuites et des formations au logiciel via son programme *Power of Us*.

Les communautés de grands-mères en pleine jungle ougandaise

À quoi ressemble la vie dans la jungle ? Peut-on considérer l'éducation comme une arme puissante ? Comment une ONG a-t-elle pu s'intégrer dans un tissu local si isolé dans la jungle et construire des infrastructures dignes d'un établissement privé de premier rang ?

Un soir de juin 2017, j'ai reçu un mail de Shabnam, un salarié de Nyaka, une organisation située en plein cœur de la jungle ougandaise, à la frontière avec la République démocratique du Congo. Mon expertise pouvait leur être utile dans le cadre d'un projet de mesure d'impact de leur programme d'éducation. Ayant eu écho de la construction par leurs soins d'un excellent établissement scolaire allant de la crèche jusqu'au lycée en plein cœur de la jungle, je brûlais d'envie de partir à la rencontre de cette association.

C'est ainsi que je suis arrivé à Kampala quelques jours avant mon frère Quentin, ingénieur en devenir qui avait pour mission de les aider à stopper les fissures grandissantes d'un bâtiment construit sans fondations. Après quatre escales, j'ai atterri vers trois heures du matin dans la capitale. Même s'il faisait encore nuit noire, je me souviens que quelques réverbères éclairaient les interminables fils barbelés des résidences, gardées par des sentinelles armées de vieilles kalachnikovs. Lorsque le taxi s'est garé devant l'auberge de jeunesse, le chauffeur m'a interdit de sortir avant qu'il me fasse signe – à cause des fréquentes agressions de rue. Après de longues minutes, le veilleur de nuit a fini par ouvrir l'épaisse porte métallique de l'auberge. Et me laisser finir la nuit sur le canapé du hall d'entrée.

Le lendemain, j'avais rendez-vous de bonne heure avec Jennifer, la directrice de Nyaka. Elle m'a expliqué les principaux enjeux auxquels l'association devait faire face. Dans les années 1980-1990, l'Ouganda a connu une crise sanitaire et socio-politique importante, alors que le sida décimait toute une génération – catastrophe imputable au manque de prévention et de traitements contre cette pandémie. Dans certaines provinces, le taux de contamination atteignait en effet 60 % de la population[2]. Plus de 1,2 million d'enfants se sont ainsi retrouvés orphelins. Les plus chanceux ont été recueillis par leurs grands-parents ; quant aux autres, ils se sont retrouvés purement et simplement abandonnés. Jennifer m'a expliqué qu'en raison d'une absence de prévention sérieuse, la maladie continuait de faire des ravages. Notamment dans les réseaux de prostitution, omniprésents dans le pays, et dont beaucoup d'orphelins étaient des proies faciles. Nous avons d'ailleurs constaté à nos dépens l'ampleur du phénomène lorsque mon frère et moi avons été réveillés en pleine nuit par les ébats d'un voisin de dortoir sans scrupule avec une prostituée qu'il avait amenée dans notre chambre commune.

L'association a vu le jour en 2001 dans un village perdu de la jungle appelé Nyakagezi avec pour mission de tendre la main à ces orphelins et de les aider à grandir en adoptant une approche holistique. Moi qui pensais naïvement que des programmes d'éducation et de santé suffiraient à sauver ces jeunes orphelins... j'étais loin du compte ! C'était sans compter tout ce qui peut matériellement et psychologiquement empêcher un enfant de réussir. En effet, que faire si un écolier tombe malade en buvant l'eau de la rivière contaminée ? Comment convaincre la famille de laisser l'enfant aller à l'école alors qu'il pourrait travailler aux champs ? Pour être résiliente, Nyaka devait intégrer et soutenir le développement de la communauté tout entière.

Pour atteindre le cœur de la mission près de la frontière congolaise depuis Kampala, nous avons roulé toute une journée en 4x4 jusqu'au village de Nyakagezi. Là-bas, pas de voitures. Quelques motocyclettes et des maisons construites en terre cuite pour la plupart. Nos deux têtes de Blancs ne sont pas passées inaperçues auprès des enfants qui ouvraient de grands yeux ébahis : nous étions probablement les premiers Blancs qu'ils rencontraient. Le village, modeste d'apparence, n'était pas pour autant sans ressources. En vingt ans d'existence, l'association y a en effet construit deux écoles primaires, un collège et un centre de formation dignes des établissements privés de la capitale. Pour donner à ces jeunes les meilleurs outils pour réussir, les responsables de Nyaka ont investi, année après année, dans l'installation de locaux de première qualité : salles informatiques, bibliothèques, laboratoires pour les cours de chimie, etc. Aboutissant à un niveau de scolarité somme toute relativement semblable aux standards occidentaux.

Pour que la mission réussisse, l'association avait rapidement pris le parti d'appuyer les initiatives de la communauté et d'impliquer les familles afin que les écoliers se trouvent dans les meilleures conditions pour étudier. À ce titre, des fontaines d'eau potable pompant directement dans les nappes phréatiques, une bibliothèque ou des cours d'informatique avaient notamment été mis à disposition des habitants du village.

Plus qu'une ONG, Nyaka est devenue peu à peu l'un des poumons du territoire, et une fierté pour ses habitants. Dans une zone où la loi est édictée et son application assurée par les Anciens, les chefs de village et les élus locaux, ces derniers nous ont expliqué qu'ils étaient prêts à mouiller la chemise pour garantir la pérennité de Nyaka. Parce qu'ils avaient été intégrés dans ses instances de gouvernance. La réussite de son installation et sa pérennisation dans le paysage local pouvait se mesurer à l'amitié que nous avons constatée entre tous ceux qui travaillaient de près ou de loin pour l'association. En cas de coup dur, tout le monde était d'accord pour se retrousser les manches pour aider Nyaka. Qu'il faille aller à la capitale pour trouver des financements ou se procurer des régimes de bananes ou des briques, chacun était disposé à aider à son échelle.

Notre rencontre avec les communautés de grands-mères en fut le témoignage le plus marquant. Sachant que les orphelins étaient souvent pris en charge par leurs grands-mères, Nyaka a monté un programme de formation à l'entrepreneuriat ainsi qu'un programme de microfinance qui ont instruit plus de quinze mille d'entre elles. À travers des activités d'artisanat ou grâce à leurs mini-shops, celles-ci étaient en mesure d'assurer à leurs petits-enfants des conditions décentes pour étudier. Dans le cadre des entretiens réalisés pour ma mission de mesure d'impact, Nyaka avait mobilisé un groupe d'une cinquantaine de grands-mères. Certaines d'entre elles avaient parcouru plusieurs dizaines de kilomètres à pied pour nous faire partager leur expérience ! Ce jour-là, j'ai réalisé que Nyaka était une organisation bien plus résiliente dans la durée que beaucoup d'entreprises disposant de moyens supérieurs, mais aux activités totalement dénuées de sens. D'ailleurs, une fois les entretiens terminés, les grands-mères nous ont invités à danser et à chanter avec elles – habillées de leurs robes colorées traditionnelles. Ce moment magique, mon frère ni moi ne l'oublierons jamais.

Alors que Quentin réfléchissait à une solution pour renforcer un bâtiment zébré de fissures larges comme le bras, Jennifer, la directrice de Nyaka, m'avait confié la charge de répondre à la question suivante : « À quoi ressemble le succès de notre programme d'éducation ? » Pendant plusieurs semaines, nous avons arpenté les routes en terre défoncées afin de collecter plus de quatre mille données chiffrées auprès des enseignants de Nyaka. Nous avons réalisé une soixantaine d'entretiens dans le but de construire un modèle de suivi des bénéficiaires et de mesure d'impact de leur programme d'éducation. Sur place, au fil des jours, je sentais s'évaporer mes derniers doutes sur l'impact de Nyaka, et sur l'influence réelle de l'éducation sur l'avenir des enfants lorsque les conditions d'apprentissage sont réunies. À ce propos, lors de la visite du lycée de Nyaka, nous avons rencontré une équipe de six lycéennes lauréates du concours national d'innovation inter-lycées. Elles avaient développé une application pour smartphone permettant aux médecins de suivre le traitement médical de leurs patients. Elles étaient pleines d'enthousiasme et de projets, alors que toutes orphelines et issues des familles les plus pauvres du pays !

Après trois semaines de travail intense au sein de Nyaka, notre modèle de mesure d'impact a été présenté au reste de l'équipe. En voici quelques chiffres : depuis la création de l'association, 786 étudiants avaient pu bénéficier du programme d'éducation, pour un total de 156 000 heures de cours et 1,7 million de repas distribués. Après quatorze ans de formation cumulée, une première promotion de quarante étudiants venait de rejoindre les bancs de l'université. Bilan : en rejoignant Nyaka, les écoliers avaient entre 1,7 et 2,5 fois plus de chance que ceux des autres établissements de la région d'obtenir les appréciations A ou B lors des examens nationaux de fin de primaire...

Cette expérience m'a fait prendre conscience de l'importance d'intégrer l'ensemble des parties prenantes dans les processus de décision – leaders locaux, habitants et personnes travaillant pour l'association – afin de s'assurer du soutien de l'ensemble de la communauté concernée, et de décupler ainsi la force de frappe du projet. L'intégration du tissu local dans toute opération est primordiale pour bâtir des organisations résilientes sur le long terme. Face aux inégalités sociales grandissantes et aux défis environnementaux, nous pouvons nous attendre à ce que la société civile soutienne activement les entreprises engagées sur ces sujets. Mais pour cela, les entreprises doivent impérativement se rapprocher du tissu associatif qui dispose souvent, lui, d'un large réseau. Cette attitude exige de porter une attention accrue aux territoires, et de s'engager pour contribuer concrètement au développement local. À titre d'exemple, si l'on faisait dépendre certaines subventions publiques ou privées aux entreprises d'initiatives bénéficiant à l'intérêt général du territoire sur laquelle elles sont implantées ?

Les infirmières de Kibera au cœur du plus grand bidonville urbain du Kenya

*De quoi vivent les familles dans le bidonville ? Quels moyens utilisent les associations pour redonner espoir à la jeunesse et contribuer au développement du bidonville ? Quelle est la raison d'*être d'*une organisation ?*

En 2018, ma sœur Marine était d'accord pour s'embarquer à mes côtés dans une aventure unique en son genre. Elle devait nous mener à Kibera, en plein cœur du plus grand bidonville urbain d'Afrique de l'Est. Mercy, directrice du développement de l'ONG Carolina for Kibera (CFK), était intéressée par la réalisation d'entretiens avec les bénéficiaires de l'ONG afin de mettre en avant auprès de leurs donateurs étrangers l'impact de l'organisation. Quant à ma sœur, pharmacienne, elle avait été missionnée pour aider les pharmaciens de la clinique de Tabitha à réorganiser leurs stocks de médicaments et à mettre en place un logiciel de suivi de ces stocks.

Avant notre venue, Mercy nous avait proposé d'être hébergés dans une famille d'accueil, ce que nous avions accepté. Cependant, nous ne nous attendions pas à une immersion aussi complète, aux antipodes de notre vie confortable à Paris. Ce n'est qu'une fois sur place que nous avons compris pourquoi le chauffeur de taxi était aussi stressé à l'idée de circuler la nuit tombée. Les Siteki, notre famille d'accueil, faisaient partie des rares habitants de Kibera à vivre dans une maison en dur bâtie en plein cœur du bidonville. Depuis notre chambre au premier étage, nous avions une vue plongeante sur les milliers de baraquements de tôle tout autour. Rapidement briefés sur le fait que la police n'entrait jamais dans Kibera, on nous enjoignit d'être prudents, particulièrement la nuit.

Tous les matins, nous nous rendions dans les locaux de CFK, installés dans le centre de Kibera. Mercy nous a expliqué que plus d'un million de personnes issues de quarante tribus différentes s'entassent dans cette ville. Ils survivent grâce à de petits boulots rémunérés en moyenne un dollar par jour. Face à ce constat, la raison d'être de l'association est claire : faire émerger une génération de leaders locaux capables de réduire la pauvreté dans les différents quartiers. Là encore, l'association a choisi une approche durable, donc « holistique », qui s'articule autour de quatre axes : santé, jeunesse, entrepreneuriat et sport. Ainsi, en 2019, l'association a pu soigner trente-trois mille patients dans sa clinique de Tabitha, accompagner mille trois cents filles grâce à son programme d'*empowerment*[3] et aider deux mille trois cents enfants à aller à l'école. Des chiffres impressionnants... mais insuffisants pourtant à rendre compte de ce que nous avons découvert sur place.

La « raison d'être » de l'association s'est très vite manifestée à nous, quelques jours seulement après notre arrivée. Il était tôt ce matin-là. Marine travaillait avec les pharmaciens de l'ONG sur la gestion des stocks de médicaments tandis que j'interviewais la responsable de la clinique. Tout à coup, l'ensemble du staff s'est mis en branle quand une jeune femme de vingt-cinq ans est arrivée à la clinique, sur le point d'accoucher. Elle avait été refoulée de trois hôpitaux publics car elle était trop pauvre. Bien qu'elle ne dispose en théorie pas du matériel nécessaire, la clinique de Tabitha représentait donc son unique planche de salut. Armés de tout leur courage, médecins et infirmiers se sont démenés pour assister au mieux cette mère en détresse et sauver son enfant. Après de longues minutes d'angoisse, l'oreille tendue derrière la porte du bloc opératoire, j'ai entendu le cri d'un bébé. Victoire ! Il était né, et en bonne santé ! Dans un brouhaha indescriptible, l'équipe a laissé éclater sa joie et sa fierté. Elle était là, leur mission première : aider, soigner, consoler tous ceux qui croiseraient leur route. Ce jour-là, j'ai pris conscience que la « raison d'être » des associations n'était pas quelque chose de décoratif. Leur mission concrète suscite l'adhésion. Et la principale force d'une association, c'est d'abord cette adhésion enthousiaste de tous à un projet commun qui aligne les intérêts personnels.

Lors de mes interviews vidéo, j'étais constamment accompagné de Kennedy, coordinateur chez CFK que j'avais surnommé «mon ange gardien». Grâce à lui, j'ai pu me rendre dans les quartiers les plus reculés du bidonville, où jamais je ne me serais aventuré seul. Pour mieux présenter le programme de l'association destiné à la jeunesse et à l'éducation, j'ai rencontré plusieurs directeurs d'école du quartier. Ces hommes remuaient ciel et terre pour sortir les enfants de la misère, malgré un taux de réussite catastrophique aux examens nationaux de fin de primaire. J'ai découvert que ces écoles de quartier ne recevaient pas d'aide de l'État, et que les trente dollars de frais de scolarité annuels, impossibles à payer pour de nombreux parents, ne suffisaient pas de toute façon à maintenir les établissements à flot. Selon l'expression de mon grand-père, il leur fallait donc «faire du beurre avec de l'eau». Dans des salles de classe bondées d'élèves enthousiastes – et bruyants –, le maître n'avait sous la main qu'un ou deux manuels scolaires. Au collège, la situation était encore pire: comment réussir l'examen national de chimie quand l'établissement ne possède pas l'ombre d'un bec Bunsen? Et quand on touche son premier becher le jour de l'examen? Tel est le terrain sur lequel intervient l'association, avec l'ambition de former à Kibera une génération qui réussisse à clouer le bec aux statistiques fatalistes.

Dans le cadre de ma mission, j'ai rencontré Faith et Peter: deux jeunes leaders exceptionnels accompagnés par CFK, qui n'auraient probablement jamais passé la première étape d'un recrutement sur CV. Pourtant c'est Faith, dix-sept ans, qui m'a donné l'une des plus belles leçons de leadership que j'ai jamais reçues. Nous avions rendez-vous chez elle à l'aube, en plein cœur du bidonville. Il nous a fallu une demi-heure de marche, à travers un fatras de passages exigus où s'épandait le cloaque des égouts à ciel ouvert, pour nous retrouver face à un minuscule baraquement de tôle. Dans ces douze mètres carrés, Faith vivait avec sa mère, ses frères et sœurs et son bébé. Quand nous sommes entrés, elle étendait le linge en enjambant des poules à moitié endormies. Son lit se résumait à un morceau de tapis au sol, roulé tous les jours pour libérer l'unique pièce familiale. D'un ton assuré, Faith m'a expliqué qu'à quinze ans elle était tombée enceinte de jumeaux : leur père n'avait pas voulu en entendre parler, sa propre mère avait été furieuse de ces bouches de plus à nourrir, et ses amies lui avaient tourné le dos. Quelque temps plus tard, l'un des deux bébés était malheureusement décédé. Devant toutes ces souffrances, Faith avait touché le fond. Désespérée, elle avait voulu mettre fin à ses jours. C'est un voisin du quartier qui avait alors alerté CFK. Faith avait été aussitôt soutenue psychologiquement et financièrement dans un objectif précis : lui permettre de retourner à l'école. Et c'est avec une immense fierté que la jeune fille nous a ensuite fait visiter son école, dans laquelle elle est déléguée de classe et considérée par le directeur comme l'une des élèves les plus prometteuses qu'il ait rencontrées. Faith nous a déclaré qu'elle travaillerait dur pour assurer un avenir meilleur à son enfant. Et puis, au moment de partir, elle m'a pris à part. Elle m'a demandé si je pouvais l'aider à trouver des serviettes hygiéniques pour ses camarades qui n'en avaient pas. Et étaient dès lors obligées de rester chez elles quand elles avaient leurs règles. Ce qui m'a bouleversé, c'est que cette fille qui ne possédait rien m'a demandé une seule chose… et ça n'était même pas pour elle. À dix-sept ans, elle avait déjà l'âme d'une chef. Qui aurait su discerner cette qualité entre les lignes d'un CV ?

Quelques jours plus tard, je me suis rendu sur le chantier de construction d'un pont destiné à une nouvelle autoroute. Je devais y rencontrer Peter, étudiant en quatrième année à l'université de Nairobi, et en passe de devenir ingénieur des travaux publics. Ayant grandi dans le bidonville de Kibera, il éprouvait un fort sentiment d'infériorité et avait bridé ses rêves. Le coup de pouce qu'il a reçu de CFK a radicalement changé sa manière de voir la vie, et lui a donné suffisamment confiance en lui pour comprendre qu'il pouvait réussir. Grâce à beaucoup de travail et à un accompagnement efficace, Peter a décroché une bourse d'études pour intégrer l'université et poursuivre son rêve : reconstruire le bidonville et donner à d'autres jeunes défavorisés l'envie de réussir. Le directeur de chantier lui aussi était très fier de son stagiaire, qu'il avait déjà prévu d'embaucher.

Toutes ces histoires de vie à Kibera témoignent de ceci : pour agir, chacun a besoin d'un but. Et en cela, ce qui est valable pour une personne s'applique également à l'échelle d'une organisation. Ainsi, dans les associations caritatives, le but est plus visible, plus explicite qu'ailleurs. Cette mission, cette « raison d'être », fédère plus efficacement adhérents, donateurs et bénéficiaires qu'aucune autre raison financière ou politique. La force des associations est bien leur but manifeste, voire quantifiable : enfants scolarisés, maisons construites, jeunes formés, etc. Du côté des entreprises, le profit reste à l'inverse souvent la raison d'agir des dirigeants et actionnaires. Or, ce moteur ne suffit pas à définir la finalité de l'entreprise : la recherche de bénéfice financier devrait servir une fin plus grande, plus large. Ne serait-ce que pour favoriser une adhésion forte et durable de leurs salariés, les entreprises gagneraient ainsi à expliciter davantage leur « raison d'être ». Et à multiplier les partenariats avec les associations, dans un échange qui profiterait à tous.

Rencontre avec le Boss de Kibera

Avant de continuer, je ne résiste pas à raconter une anecdote sur notre rencontre avec le Boss du bidonville de Kibera.

Après avoir compris que notre famille d'accueil connaissait le chef politique et militaire de Kibera, j'ai demandé s'il était possible de le rencontrer. Comme nous ne pouvions pas sortir le soir de notre logement défendu par des barbelés, le rendez-vous a été fixé chez les Siteki, dans la pièce commune. Quelques minutes avant, j'ai ressenti la tension de Mme Siteki, la doyenne de la maison. Elle ne voulait pas que la famille assiste à la réunion, et nous a fait comprendre que ce chef était assez puissant et qu'il pourrait nous demander de l'argent. J'étais perplexe... À côté de mon carnet de notes, j'ai disposé des gâteaux traditionnels du Nord de la France que j'avais préparés. Et, sous le carnet, une liasse de billets de banque. Le Boss est finalement arrivé en treillis et rangers, affublé d'un long manteau sombre au col relevé et d'une énorme montre en or rutilante. Un look qui tranchait autant avec celui des autres habitants du bidonville que la personnalité de celui qui le portait... Pourtant ce rendez-vous s'est avéré exceptionnel, et le dialogue s'est rapidement engagé autour d'une curiosité mutuelle.

Après que nous avons répondu à ses questions sur la vie en Europe, il nous a parlé de son activité ici. Cet homme exerçait tout simplement un droit de vie et de mort sur tous les habitants du bidonville, puisque tout passait par lui : depuis les demandes de passeport aux enquêtes pour viol, en passant par la pacification d'un quartier où, quelques jours plus tôt, un jeune homme avait été brûlé vif entre deux pneus pour avoir volé un autoradio. Or, comment assurer l'ordre dans une zone où cohabitent une quarantaine de tribus et que les forces de l'ordre ont désertée ? Il a également évoqué l'élection présidentielle, une période à très hauts risques car la plupart des candidats ont pour coutume d'attiser les sentiments tribaux pour se faire élire. Des semaines au cours desquelles le Boss restait en lien direct et quotidien avec le cabinet présidentiel, de peur que le bidonville de Kibera ne s'embrase et devienne le cœur d'une insurrection. Pour maîtriser ce risque, le Boss avait pris soin d'identifier lui-même des leaders sur des critères d'affiliation tribale, de genre et de réputation. Et de les convier aux comités de réflexion sur le fonctionnement de Kibera, abordant des sujets variés comme l'accès à l'eau potable, la paix ou d'autres projets de développement. Une conversation passionnante, qui nous a un peu éclairés sur les jeux de pouvoir sur place. Avant de repartir, je lui ai proposé de choisir entre l'argent et mes biscuits. Il a choisi les biscuits.

Les enfants des rues au Cambodge, héritage du régime des Khmers rouges

À quelles contraintes font face la majorité des associations ? Comment les associations réussissent-elles à se développer alors qu'elles dépendent de subventions dont le renouvellement n'est jamais assuré ? Existe-t-il des modèles innovants qui pallieraient ces limites ?

Malgré tous les efforts des ONG, j'ai constaté que nombre d'entre elles peinent à grandir, principalement parce qu'elles ne peuvent pas compter sur des financements réguliers. Or sans ressources fixes, impossible d'investir. Contrairement aux start-up que je rencontre dans le cadre de mon travail, capables de lever des millions en quelques semaines et de les investir en toute liberté, les associations sont souvent limitées par la volonté de donateurs et fondations. Ces derniers préfèrent en général investir dans des projets d'innovation plutôt que dans le fonctionnement des associations. Dans ce dernier cas, entre la rémunération de l'équipe de direction, le financement des logiciels ou la formation des salariés, l'impact de la contribution n'est effectivement pas mesurable immédiatement. C'est ce que l'on appelle les « dons fléchés », générant une méfiance qui malheureusement condamne beaucoup d'ONG à garder une taille modeste.

En 2019, j'ai pris un café à Paris avec Sébastien Marot, entrepreneur social aguerri. Alors qu'il était en pleine réflexion sur la digitalisation de son ONG Friends International, basée à Phnom Penh, au Cambodge, mes connaissances en informatique l'avaient intéressé.

Son histoire m'a particulièrement marqué car c'est l'un des entrepreneurs sociaux que je connais qui s'est le plus inspiré du modèle de l'entreprise. Initialement venu donner un coup de main pour aider les enfants des rues au Cambodge dans les années 1990, Sébastien a finalement créé sur place une organisation sociale particulièrement efficace. Entre 1975 et 1979, le régime des Khmers rouges a exterminé un cinquième de la population cambodgienne, soit 1,7 million de personnes. Des centaines de milliers d'enfants se sont ainsi retrouvés orphelins, livrés à eux-mêmes, sans espoir et sans avenir. C'est dans ce contexte tragique que Friends International a établi sa mission : offrir un avenir à ces jeunes et aux familles qu'ils ont fondées depuis. Pourtant, lors du lancement de l'association, Sébastien m'a expliqué qu'il ne disposait d'aucun budget pour financer ses programmes de formation. Il a alors eu l'idée de créer des entreprises qui seraient à la fois des centres de formation et des sources de revenus pour l'ONG.

Une fois sur place, j'ai été ébahi par ce que l'organisation avait accompli depuis sa création. Le soir de notre arrivée dans la capitale khmère, avec ma sœur Marine qui avait rempilé à mes côtés, nous nous sommes rendus dans l'un des dix meilleurs restaurants recommandés par le guide de *Lonely Planet.* Ce n'est pourtant qu'au moment de lire nos menus que nous nous sommes rendu compte que ce restaurant qui ne désemplissait pas... appartenait à l'ONG ! Le lendemain, Didi, l'une des directrices de Friends International au Cambodge, nous a expliqué que le service en salle et la cuisine étaient assurés par les élèves en cours de formation, et supervisés par leurs professeurs. L'ONG avait fait construire des centres de formation souvent adossés à ses entreprises. Les professeurs pouvaient ainsi jongler entre enseignements théoriques en classe une partie de la journée et formation sur le terrain le reste du temps. Une manière efficace de délivrer des formations de qualité aux élèves tout en autofinançant une partie de ses activités. La force de cette organisation exceptionnelle, c'est que Sébastien s'est inspiré de méthodes issues du monde de l'entreprise et de l'entrepreneuriat, adaptées à des fins sociales. Concrètement, plus du tiers du budget annuel de Friends International repose sur les bénéfices de ses entreprises. Ces ressources permettent, entre autres, de financer les fonctions support de l'association et les logiciels informatiques.

Au fil des semaines, j'ai pu constater par moi-même l'ampleur du conglomérat d'entreprises que Sébastien avait monté avec ses équipes. J'ai commencé par aller me faire couper les cheveux dans un de leurs salons de coiffure. Pendant ce temps, Marine s'était fait faire une manucure dans un des salons de beauté de Friends International. Tous les matins, avant de monter les escaliers du siège de l'association, nous passions devant un atelier de couture où une dizaine d'employés réalisaient des vêtements et des sacs ensuite vendus dans les boutiques équitables de l'ONG. À chaque fois, le modèle reposait sur le même tandem : des étudiants motivés accompagnés par leurs professeurs. Dans les semaines qui ont suivi, j'ai découvert que l'association avait même construit un centre commercial en centre-ville ! On y retrouvait la plupart de leurs services, aux côtés desquels ils avaient installé un établissement de formation.

Comme j'étais impressionné par son succès entrepreneurial, Sébastien m'expliqua qu'avant de lancer Friends International il avait mené une étude de marché approfondie. Il avait identifié les secteurs d'activité les plus en tension : les métiers de la beauté et de la coiffure, de la réparation mécanique, de la restauration, etc. Une stratégie aboutissant au lancement de dizaines d'entreprises sociales au Cambodge, au Laos et en Thaïlande, exploitant sept magasins d'artisanat, six restaurants, quatre garages de réparation de vélomoteurs, deux salons de beauté, un atelier de couture et une entreprise d'électricité !

Ma mission sur place consistait à les aider à repenser leur architecture informatique afin de centraliser tous leurs programmes. Et à les accompagner dans la mise en place d'un logiciel RH coordonné avec d'autres associations. À cette occasion, j'ai échangé avec les équipes chargées des programmes et me suis rendu avec des travailleurs sociaux dans les banlieues insalubres de la ville. Tous se rendent régulièrement sur le terrain pour identifier les jeunes les plus marginalisés et leur proposer un accompagnement scolaire, professionnel, une formation en développement personnel ou de l'aide dans une recherche d'emploi. Ayant aidé plus de trois cent mille jeunes depuis sa création, l'organisation a été reconnue par l'État comme fondation d'utilité publique. Ses centres de formation ont aussi reçu le droit de décerner des diplômes reconnus par l'État. Ce modèle hybride innovant, à mi-chemin entre l'ONG et l'entreprise sociale, est une alternative prometteuse duplicable à l'avenir pour d'autres projets.

Heureusement, il existe aussi des exemples d'associations qui sont parvenues à mobiliser des financements à la hauteur de leurs ambitions. Au Cambodge, j'ai notamment rendu visite à l'ONG Cambodian Children's fund[4]. Elle a été fondée par Scott Neeson, qui en tant que président du studio 20th Century Fox International a supervisé pendant de longues années les *blockbusters* hollywoodiens comme *Star Wars*, *X-men* ou *Titanic*. Après la chute des Khmers rouges, Scott avait été très touché par l'état du pays et sa misère sociale. Grâce à un réseau de premier ordre, il a réussi à lever des fonds colossaux auprès de géants comme General Electric, Microsoft, 20th Century Fox, le Crédit suisse, et ceux de grandes fortunes privées. Pour rendre visite à l'association, on nous avait toutefois donné une adresse encore inconnue du GPS... car elle se situait au cœur d'une ancienne décharge. Ils avaient réussi à y édifier l'un des plus prestigieux établissements scolaires du pays! Sans l'avoir vu de mes yeux, j'aurais eu du mal à croire que cet établissement était digne des plus prisés de France. Là où en 2004 moins de 2% des collégiens pouvaient espérer entreprendre ensuite un parcours universitaire, à ce jour 93% des deux mille élèves de cet établissement y parviennent! Une réussite prodigieuse, même si malheureusement toutes les associations n'ont pas la chance de s'appuyer sur le réseau de Scott.

Cette récente convergence entre le monde des ONG et celui des entreprises est décidément fascinante. Pourtant, il est passionnant de remarquer qu'à rebours de Sébastien, parti du modèle associatif pour créer une structure hybride intégrant le monde de l'entreprise, certains acteurs du monde de l'entreprise se sont progressivement engagés en intégrant à leur quotidien les questions de responsabilité sociale et environnementale. Parmi eux se trouve notamment l'un de mes mentors, l'entrepreneur et philanthrope Alexandre Mars.

Après deux belles réussites entrepreneuriales dans le monde des nouvelles technologies, il m'avait expliqué avoir voulu consacrer son énergie à un projet ambitieux et inspirant: la fondation EPIC[5]. Il a créé cette start-up associative dans le but de combattre dès l'enfance les inégalités sociales. En reprenant les codes de l'entreprise et de la finance, il a cherché à relever le défi majeur de la plupart des organisations sociales: s'assurer un financement régulier et librement alloué – y compris celui destiné à leurs fonctions support.

Lors d'une conférence à Londres où il présentait EPIC à d'influents chefs d'entreprise, il avait posé la question suivante: «Avez-vous donné de l'argent à une organisation sociale cette année? Si oui, pouvez-vous lever la main?» La quasi-totalité de l'assistance avait alors levé le bras. Alexandre avait poursuivi: «Et parmi vous, qui pense avoir suffisamment donné?»

Seules deux ou trois mains sur la centaine de personnes présentes s'étaient alors manifestées. Une manière limpide d'exposer la raison pour laquelle il avait créé EPIC : encourager les donateurs à donner plus et mieux. Et, pour cela, démonter les trois principaux motifs qui les retiennent : le manque de temps, le manque de confiance et le manque de connaissance, trois obstacles qui empêchent de sélectionner les organisations sociales générant le plus d'impact. Pour y remédier et identifier sous cet angle les meilleures structures dans le monde, Alexandre a décidé d'appliquer aux organisations sociales les méthodes traditionnelles d'analyse et de suivi pratiquées par les fonds d'investissement. En s'appuyant sur des solutions technologiques évaluant la performance des organisations, il permet ainsi à chaque donateur de mesurer en temps réel l'impact de sa contribution. De surcroît, Alexandre avait fait le choix d'assumer personnellement la totalité des coûts de structure de sa fondation afin que l'intégralité des fonds levés auprès des donateurs soit reversée aux associations. En tant que tiers de confiance dans la sélection et le suivi des organisations, EPIC a ainsi pu lever cinquante-quatre millions de dollars de dons non fléchés depuis sa création[6], entièrement redistribués à trente associations dans le monde. Voici la démonstration que c'est bien en musclant leur *business model* que les associations pourront étendre leur activité et accéder à des financements.

Pourrait-on ainsi repenser les associations à l'aune de ces structures hybrides, pour les rendre, d'une certaine manière, « plus rentables » ou en tout cas plus efficaces ? Il est certes extrêmement difficile aujourd'hui pour une association de définir une vision stratégique à long terme. La plupart des dons peuvent fluctuer fortement d'une année sur l'autre, comme lors d'événements exceptionnels comme la pandémie de Covid-19. Pour assurer la pérennité des associations, il faudrait par conséquent inventer des modèles économiques moins dépendants des dons – qui représentent tout à la fois la source de leur capacité d'action et leur talon d'Achille. Ainsi, une ONG de premier ordre en Ouganda a dû mettre la clé sous la porte lorsque l'un de ses contributeurs historiques, qui finançait plus de la moitié du budget annuel, s'est retiré. À la manière d'une entreprise, la taille d'une association est corrélée à son pouvoir d'action et à sa portée. Il est donc crucial pour lui ouvrir la voie d'une expansion rapide de favoriser l'accès aux financements, de plaider pour une utilisation plus libre des fonds collectés et de valoriser ses fonctions supports.

Les guetteurs des quartiers nord de Marseille

L'image des cités véhiculée dans les médias est-elle une juste représentation de la réalité ? Quels sont les vrais leviers d'action pour une égalité des chances sur tout le territoire national ? Comment une association chrétienne peut-elle agir dans un quartier à 80 % musulman ?

Dans les quartiers nord de Marseille, l'aventure que j'ai vécue a été sensiblement différente des précédentes. Il ne s'agissait plus d'intégrer le quotidien de familles habitant à l'autre bout du monde, mais celui de compatriotes vivant à quelques kilomètres de chez nous. Avec mes frères et sœurs Matthieu, Marine et Claire, nous nous sommes mis au service, au cours de l'été 2020, de Massabielle, une association extraordinaire. Installée depuis vingt ans dans une dizaine de cités des quartiers nord de Marseille, elle partage le quotidien de leurs habitants et accueille tous ceux qui passent sa porte. Pour maintenir un jeune debout dans une cité rongée par la violence et la drogue, le soutien scolaire et les projets de réinsertion ne suffisent pas : respect, écoute et bienveillance sont indispensables. Ce qui est d'autant plus vrai pour les jeunes dont le lieu de vie est stigmatisé dans les médias. Les premiers résultats issus de Google sur la cité vers laquelle nous nous dirigions m'avaient à ce titre laissé perplexe : la totalité des articles décrivaient des fusillades, des incendies ou des règlements de compte. Pourtant, sans m'en douter encore, je m'apprêtais à remettre en cause de nombreux préjugés au sujet des cités, y compris certains des plus tenaces.

Nathan, le responsable de l'association, nous avait donné rendez-vous dans ses locaux, au pied de la cité des Lauriers : une barre d'immeuble vétuste et insalubre de quatorze étages, abritant plus de mille huit cents personnes. Lorsque nous sommes arrivés sur place, nous avons eu l'impression très nette de passer une frontière, de changer de pays. Sauf pour se rendre à leur travail, les habitants sortent très peu de la cité. Et ceux qui n'y vivent pas n'ont aucune raison de venir y faire un tour. Face à un tel cloisonnement, comment reconnaître et détruire les préjugés ?

Comme je faisais partie des volontaires les plus âgés, Nathan m'a rapidement fait comprendre que je serais responsable du chantier. Le premier jour, alors que nous sortions du parking en direction d'un supermarché de bricolage, une grosse Audi Q4 blanche s'est mise en travers de la rue. Le chauffeur et ses acolytes, à l'accoutrement digne d'un film de gangsters, nous ont fait signe de reculer. Ils ont ensuite effectué un tour de parking à toute allure, puis l'ont fini en pilant devant nous. J'étais perplexe car, à ma grande surprise, le chauffeur nous a ensuite gentiment salué d'un large sourire. Surréaliste ! Nathan m'a expliqué que la voiture était utilisée pour les *go fast*[7] du quartier. Et que ce jeune homme talentueux, qu'il connaissait bien avant son décrochage scolaire, avait commencé comme guetteur pour le « trafic » avant de prendre du galon. Mon frère a connu une expérience similaire en raccompagnant une grand-mère dont le fauteuil électrique avait malencontreusement renversé la chaise d'un autre guetteur sur laquelle était posée de la drogue. Inquiet, mon frère s'était excusé auprès du jeune qui lui avait aussitôt répondu d'un air amusé : « T'inquiète, ce n'est pas grave ! » Dès le soir de notre arrivée, on s'est donc rendu compte que bon nombre de nos clichés allaient voler en éclats. Et que l'on allait plonger dans une réalité très éloignée de celle que les médias véhiculent.

Les journées filaient au rythme d'un emploi du temps chargé : le matin, temps spirituel et tâches ménagères ; l'après-midi, service auprès des habitants.

Sur le plan spirituel, j'ai été particulièrement marqué par le témoignage du couple responsable de l'association à la cité des Lauriers. Installés sur place depuis huit ans, ils nous ont expliqué que sans leur foi chrétienne ils n'auraient jamais pu tenir plus de six mois un quotidien aussi intense. Un jour, un jeune a manqué de leur tirer dessus au harpon. Un autre jour, des trafiquants les ont enfermés plusieurs heures dans les caves de l'immeuble parce qu'ils avaient proposé aux responsables d'un chantier public d'embaucher des jeunes motivés sans demander leur « autorisation » aux trafiquants. Comment aurais-je réagi à leur place ? En tant que catholique, j'ai vécu d'autres rencontres marquantes, comme celle de Kader. Grand-père d'origine algérienne et de confession musulmane, mais aussi grand fan du Real Madrid, il nous avait invités chez lui pour voir un match. Un volontaire lui avait alors demandé si le fait que nous soyons catholiques lui posait problème. Sa réponse : « Tant qu'il y a du respect, toutes les religions peuvent cohabiter dans la paix. » Quelques minutes plus tard, il s'est éclipsé pour faire sa prière avant de revenir avec une surprise... Une tournée de glaces ! Cet épisode et l'amitié pleine de pudeur de Kader ont conforté ma profonde conviction qu'une voie de paix était possible entre les différentes religions.

Côté services, j'alternais entre la vie de chantier et l'animation d'activités pour les enfants du quartier. Le collège construit quelques années auparavant par l'association était en chantier pour ouvrir une nouvelle classe de 4e et une de 3e, un laboratoire de chimie et une bibliothèque. Des activités de rue étaient par ailleurs organisées dans le but d'encourager les enfants à jouer ensemble, et d'engager la conversation avec les habitants qui le souhaitaient. Une fois la confiance établie, des adolescents m'ont assailli de questions sur le métier et les études d'ingénieur. Ailis, cinq ans, m'a particulièrement marqué. Sachant qu'il y avait un Ailis, une Aissa, un Aisser et un Aissam dans le groupe, Ailis a rapidement constaté que je galérais à me souvenir de son prénom. On s'est alors mutuellement donné des gages : chaque jour, si l'un de nous deux ne se souvenait plus du prénom de l'autre, il devait faire dix pompes. Nous avons beaucoup ri ! Il aurait clairement pu être mon petit frère ou mon cousin. Et j'ai été révolté en réalisant les multiples défis qu'il allait devoir relever juste pour avoir accès aux même possibles que moi. À la naissance, nous ne démarrons clairement pas tous à égalité !

Au bout de quelques jours, deux aspects en apparence antinomiques m'ont interpellé : la précarité et le sens de l'accueil. Même si j'avais lu que plus d'un tiers des habitants de la cité vivaient dans la pauvreté, cette précarité m'est apparue bien plus frappante une fois sur place. Nous sommes entrés dans ces grandes barres d'immeubles défraîchies, au sein desquelles les cages d'escaliers et leurs murs délabrés et taggés renforçaient la sensation d'insécurité. Pas étonnant dans ces conditions de retrouver des cafards dans les chambres et la cuisine de l'association. Voire des rats, beaucoup plus nombreux que les habitants des Lauriers...

En revanche, nous y avons aussi découvert un chaleureux sens de l'accueil, ce qui n'est pas chose commune en France. Lors de nos visites, il nous est arrivé de sonner au hasard chez des gens afin de nous présenter et de leur proposer un temps de rencontre. Toutes les familles nous ont ouvert avec le sourire, et certaines nous ont même aussitôt invités à prendre le thé. Kathy Taleb était l'une des doyennes de la cité, une Française d'origine marocaine, installée depuis quarante-trois ans aux Lauriers. Elle avait besoin d'aide pour tailler quelques carreaux en vue de carreler sa cuisine, alors nous nous sommes présentés chez elle avec Matthieu pour lui prêter main forte. Entre deux coupes et un jus lait-banane maison, Kathy nous a parlé de ses combats pour trouver du travail. Avant de tomber enfin sur un patron qui avait accepté de lui donner sa chance, elle avait essuyé quantité de refus à cause de son nom de famille qui, disait-on, « faisait trop arabe ». Consciente qu'elle n'avait pas fait beaucoup d'études, Kathy ne rêvait pas de plus beau cadeau pour ses enfants que de leur transmettre ses valeurs : le sens de la famille, le respect des autres et le sens du travail. Car pour Kathy, c'est d'abord en agissant que l'on devient crédible.

Nous n'oublierons pas non plus nos visites chez Yolande, surnommée « Tata Yoyo ». Originaire des Comores, elle nous a fait découvrir sa spécialité : le punch coco. « Tata Doudou », elle, nous a raconté avec une simplicité touchante les péripéties de sa vie qui avait démarré dans la boîte à chaussures où sa mère l'avait abandonnée. Et que dire de la maman de Romain, qui nous a expliqué en détail les prouesses de l'institutrice de son fils pour continuer à enseigner aux élèves motivés pendant la crise sanitaire ! Je pense aussi à Roselyne, une mère célibataire gagnant l'équivalent d'un SMIC pour trois personnes. Elle a tout sacrifié pour envoyer son fils, devenu tête de classe, dans l'enseignement privé. Quel média de masse fera connaître l'héroïsme de ces femmes ? De ces parents qui se battent pour s'en sortir et offrir un avenir meilleur à leurs enfants ? De ces pères de famille qui partent travailler aux aurores et enchaînent plusieurs petits boulots ? Sans oublier non plus tous les jeunes qui ont réussi... Autant d'exemples que les médias pourraient mettre en avant pour mettre en lumière ces autres aspects de la vie des cités !

Bien sûr, même s'ils ne reposent que sur une petite minorité des habitants, le trafic de drogue et la violence font partie du quotidien de la cité. Nous pouvions apercevoir, à toute heure du jour et de la nuit, des dizaines de guetteurs postés sur les toits pour surveiller les deux cages d'escalier servant de point de deal. De manière générale, à l'exception de quelques descentes, la police ne se rend que rarement dans les quartiers. Il y a deux ou trois ans à peine, il n'y avait même plus qu'une seule entrée dans la cité. L'emprise des réseaux de trafic était telle que même un agent EDF n'était pas autorisé à entrer sans montrer patte blanche. Quelque temps avant notre venue, un volontaire s'était trompé de porte alors qu'il effectuait des visites. Il s'était retrouvé face à l'un des chefs de réseau, chez lequel il avait aperçu une arme de guerre accrochée dans le salon. Une autre fois, lors d'une descente de police, deux jeunes armés de kalachnikovs se sont échappés en traversant les locaux de l'association.

D'après nos échanges avec eux, l'une des principales raisons qui pousse certains jeunes à tomber dans le trafic est le décrochage scolaire. Deux lycées jouxtent les Lauriers. Pourtant, malgré tout le mal que se donnent les professeurs, vous n'y mettriez sûrement pas vos enfants. Le décrochage se produit la plupart du temps lorsqu'un lycéen entend sans cesse qu'il est nul et bon à rien. Arrive un jour où il finit par y croire, et jette l'éponge. On m'a aussi parlé de jeunes qui, dès dix ans, s'occupent de leurs frères et sœurs cadets car leurs parents commencent leur journée de travail très tôt ou la finissent très tard. S'ils sont employés hors de la cité, ils passent souvent beaucoup de temps dans les transports. Par ailleurs, il faut évoquer l'influence des « grands frères » qui approchent les jeunes de douze ou treize ans avec des propositions. « Tiens, voilà vingt euros. Peux-tu m'acheter une bouteille de Coca ? Tu peux garder la monnaie. » Ou encore : « Pourrais-tu me remplacer à mon poste de guetteur quelques heures, demain ? » Avec une rétribution de trois cents à cinq cents euros par semaine pour guetter, il est ensuite difficile de faire revenir les jeunes sur les bancs de l'école. Dès quatorze ans, certains pensent déjà qu'ils n'auront pas d'avenir et n'ont dès lors plus rien à perdre. Malheureusement, c'est souvent à eux que sont confiées les tâches les plus ingrates : maquillage des preuves, règlements de compte, etc. Pour autant, des leviers efficaces contre le décrochage scolaire ont été identifiés.

Massabielle en propose deux : le soutien scolaire et l'orientation professionnelle. Bien que certains parents n'aient pas fait beaucoup d'études, un grand nombre de ceux que nous avons rencontrés se montraient très impliqués dans le suivi scolaire de leurs enfants. En parallèle des cours de soutien scolaire, l'association a aussi créé le collège Ozanam où se déroulait le chantier auquel nous avons participé. Selon Massabielle, beaucoup de jeunes souhaitent travailler mais ne disposent ni des codes ni du réseau. De plus, ils peinent à cerner le champ des possibilités qui peuvent s'offrir à eux. Contrairement à ce qu'ils peuvent penser, footballeur, rappeur, agent d'entretien ou agent de sécurité ne sont pas les seuls métiers auxquels ils peuvent prétendre. C'est la raison pour laquelle un accompagnement sur l'orientation professionnelle paraît indispensable. Rattaché à l'association, l'organisme Massajob propose ainsi un accompagnement à l'insertion professionnelle à travers deux programmes. Le premier, « La vie en grand », cherche à redonner confiance aux jeunes en identifiant leurs talents et leurs rêves. Le second, « La route de l'emploi », consiste à les aider dans leurs recherches et à les préparer aux entretiens d'embauche (tenue adaptée, rédaction de CV et de lettres de motivation, respect des horaires, etc.).

Afin de poursuivre ce panorama des grandes tendances communes aux associations, j'aimerais évoquer la « diversité ». Ces dernières années, les entreprises se targuent de découvrir les avantages qu'elles retirent de la « diversité des talents ». Ses bienfaits intrinsèques sont pourtant attestés et revendiqués depuis bien longtemps par les ONG. Non, nous ne sommes pas tous nés égaux. C'est d'ailleurs ce que l'Institut

Montaigne a révélé dans le cadre de l'une de ses études : à compétences et diplômes équivalents, certains candidats doivent envoyer jusqu'à quatre fois plus de CV pour décrocher un entretien d'embauche, en raison de leur origine sociale ou géographique[8]. Saïd Hammouche, fondateur de Mozaïk RH, cabinet de recrutement et de conseil en diversité, a également démontré que le CV ne confère que 20 % de prédictibilité de performance. C'est pourtant bien lors de cette étape que nous risquons d'écarter trop rapidement des candidats[9]... Alors, si la discrimination positive a montré ses limites en matière de politiques publiques, il est néanmoins certain qu'il faut provoquer aujourd'hui « l'égalité des opportunités » afin qu'elle devienne une réalité. Les talents révélés dans le cadre associatif devraient logiquement servir autant dans n'importe quel autre environnement, dans une organisation internationale ou en entreprise. Pour les repérer, il faut avoir le courage de regarder au-delà des diplômes des grandes écoles et des expériences professionnelles prestigieuses. Et revoir ainsi notre manière d'analyser les profils des candidats pour déceler entre les lignes leurs qualités humaines uniques. De nombreuses méthodes sont disponibles à ce jour pour prendre conscience des réflexes délétères intégrés dans les procédures de recrutement. À ce sujet, Brian Welle, *Director of People Analytics* chez Google, propose par exemple un atelier en ligne passionnant sur les biais inconscients au travail[10]. D'autre part, il est urgent que les ONG deviennent pour les employeurs de véritables viviers où identifier des candidats à fort potentiel. Tout comme il est urgent d'ouvrir des programmes spéciaux dans les facs ou en ligne destinés à aider les jeunes et moins jeunes dans leur orientation. Recruter les bons talents, c'est le socle de la réussite de n'importe quelle organisation. Mozaïk RH en est tellement convaincu qu'il l'a inscrite dans son slogan : « La diversité est une force, faites-en la vôtre. » Une étude du célèbre cabinet en stratégie McKinsey, intitulée *Delivering Through Diversity*, parue en 2018, a d'ailleurs démontré que les entreprises les plus proches d'un ratio femmes/hommes équilibré affichent une performance supérieure de 15 % par rapport à la moyenne nationale. Les résultats de celles qui affichent une diversité ethnique et culturelle plus forte s'établissent, elles, 35 % plus haut que la moyenne[11] ! Ce séjour dans les quartiers nord de Marseille m'aura aidé à comprendre que les cités sont aussi de formidables gisements de talents totalement sous-estimés. Et qu'il est urgent de considérer.

Pour reprendre les mots d'Alex Wilmot-Sitwell, président de la région EMEA de la Bank of America Merrill Lynch : « Si vous n'avez pas le meilleur talent, vous ne serez pas le meilleur. Si vous ne vous représentez pas correctement le vivier disponible de talents, vous ratez une opportunité. »

Au final, cette immersion a elle aussi représenté une formidable aventure humaine qui nous a permis de déconstruire nos nombreux clichés sur les cités. En plus d'un exceptionnel sens de l'accueil, nous y avons découvert une belle vision de la mixité sociale dont nous gagnerions à nous inspirer ailleurs. Je n'oublierai pas les mots d'Amor, pour me présenter sur le chemin de Bellevue à l'un de ses amis qui était musulman : « Ici, dans la cité, on ne regarde pas la religion. Mais on regarde le cœur. » Cela n'empêche pas de garder à l'esprit que tout n'est pas rose : la précarité et la violence font partie du quotidien des habitants et de l'association. Pendant notre séjour, deux jeunes ont par exemple allumé un incendie au niveau du mur d'enceinte de l'association. Ma sœur Marine s'en est heureusement rendu compte à temps, et tout le monde s'est acharné à l'éteindre avec les moyens du bord. Bilan : huit mètres carrés de terrain brûlé en quelques instants, et une situation qui aurait pu tourner à la catastrophe. Le mot d'ordre demeure donc : rester vigilant.

Je suis rentré à Paris avec un mélange étrange de rage et d'espoir. De rage parce que nous avons été témoins de situations profondément injustes qui nous ont fait prendre conscience de la chance que nous avions. Cette rage se transforme alors en niaque, et l'on réalise que nous n'avons pas le droit de la gâcher. Mais c'est aussi un sentiment d'espoir qui a bercé mon retour, lorsque j'ai réalisé que changer les choses, c'était possible! Ouganda, Inde, Cambodge, Kenya, France... J'ai eu la chance de rencontrer des centaines de citoyens venus d'horizons les plus divers, mais se battant tous pour un monde meilleur! À ce jour, nous avons toutes les raisons d'y aspirer et de le bâtir.

Et si à présent j'enfilais mon costume pour vous emmener explorer les méandres des mondes de la finance et de l'entreprise, pour vous faire partager ce que j'y ai découvert?

Quelle représentation du monde de la finance?

En avez-vous une image plutôt positive ou négative? Personnellement, avant d'arriver à Paris pour mon stage de fin d'études, je n'avais encore jamais rencontré d'investisseur. Et l'image que je m'en faisais était peu reluisante, voire carrément négative. J'imaginais le monde de la finance tel que le représente le film *Wall Street: l'argent ne dort jamais*[12], où Michael Douglas interprète le meilleur et le pire des maîtres de la finance pendant le krach boursier de 2008. Ouvrir un journal me suffisait également pour m'indigner des pratiques de certaines banques. Un parfait exemple étant l'affaire Jérôme Kerviel, du nom du trader ayant opéré des transactions non autorisées et entraîné *in fine* la perte de plus de 4,9 milliards d'euros à la Société Générale. Bien que je n'aie jamais imaginé démarrer une carrière dans ce monde, j'y ai multiplié les expériences, découvrant ainsi ses principaux rouages et son fonctionnement. Pour en conclure que la finance mérite une analyse plus subtile que celle du manichéisme ambiant.

« Tu vois ce bâtiment ? J'ai acheté ce bâtiment il y a dix ans. Mon premier investissement immobilier. Vendu deux ans plus tard, j'ai réalisé un bénéfice de huit cent mille dollars. C'était mieux que le sexe. À l'époque, je pensais que c'était tout l'argent du monde. Aujourd'hui, c'est mon salaire d'une journée. Tout n'est qu'une question de dollars, fiston ! Le reste, c'est de la *conversation.* » Ainsi parle Gordon Gekko dans *Wall Street : l'argent ne dort jamais*. Édifiant, non ?

Pourtant, il faut partir de ces clichés pour comprendre la représentation de la finance partagée par la plupart des gens. Et pouvoir ainsi, plus tard, la nuancer. Ces dernières décennies, depuis la crise des *subprimes* en 2008, les limites et les effets pervers du système financier se sont révélés au grand jour. Je me souviens de ce mois de septembre 2008 où, en l'espace de quelques semaines, le monde s'est effondré. Et notamment des images de familles entières dont les maisons ont été saisies car elles ne pouvaient plus payer leur crédit immobilier. Ce krach a démontré les dramatiques conséquences de la bulle spéculative construite sur des crédits juteux, mais risqués car accordés à des ménages insolvables. Un effet de souffle assez puissant pour anéantir des économies entières, et des banques qui avaient pourtant survécu à la crise de 1929. Les années qui ont suivi n'ont pas suffi à endiguer durablement les effets de la crise. L'envolée du chômage et l'endettement des États pour sauver leurs banques nationales ont précarisé les foyers. Tout ceci alors que les gouvernements procédaient à des coupes claires dans leur budget de protection sociale.

Des effets pervers parfois choquants

Certaines pratiques issues du monde de la finance interpellent aussi du point de vue de leur décalage avec l'économie réelle. Ainsi, aux États-Unis, entre 2011 et 2017, les salaires, assurances et retraites incluses, ont augmenté d'environ 14 %[13] tandis que l'inflation grimpait de 11 %. Le pouvoir d'achat des ménages n'augmentant donc que de 3 %. Sur la même période, d'après une étude du cabinet Janus Henderson, les actionnaires américains ont vu leurs dividendes augmenter de 90 % pour atteindre en 2017 la somme colossale de 438 milliards de dollars ! À l'échelle mondiale, et sur la même période, les mille deux cents entreprises les plus importantes en termes de capitalisation boursière ont augmenté de 30 % leurs dividendes[14]... au détriment bien sûr de l'intéressement et de l'investissement[15]. Ces données témoignent donc d'un système à deux vitesses et éminemment inégalitaire, puisque les bénéfices des entreprises profitent principalement aux actionnaires, au détriment des salariés.

À ce sujet, connaissez-vous « l'indicateur Buffet » ? Il s'agit d'une boussole créée par Warren Buffet pour comparer la valeur des entreprises cotées d'un pays avec l'enrichissement réel dudit pays, soit son produit intérieur brut (PIB). On remarque ainsi, à titre d'exemple, qu'au 23 décembre 2020 la valeur des entreprises cotées aux États-Unis était 75 % plus élevée que le PIB moyen du pays des trente dernières années[16]. Soit une valeur équivalente à celle atteinte lors de la bulle Internet des années 2000. Nous assistons donc actuellement à un emballement de l'économie financière comparée à l'économie réelle[17]. Un système où les actions financières sont complètement décorrélées de la valeur du travail... Ce qui ne semble ni cohérent ni viable.

Dans la même veine, pour la pérennité de ses affaires, la mission d'un PDG ne devrait-elle pas consister à fidéliser ses salariés, clients et fournisseurs en travaillant sur une relation à long terme ? Pourtant, on peut s'interroger sur ses réels leviers d'action face à des actionnaires qui ont une visibilité à court terme et réclament une rentabilité rapide pour revendre leurs actions avant que le cours de la Bourse ne baisse... Dans un reportage réalisé par l'émission *Cash Investigation,* la journaliste Élise Lucet s'est introduite au sein d'une assemblée générale d'actionnaires. Au cours de la séance, le conseil d'administration annonçait une augmentation de 15 % du salaire du directeur général le mieux payé de France pour un montant équivalant à plus de cinq cents fois le SMIC. Il instaurait aussi une politique de distribution de dividendes avantageuse. Ceci alors que le chiffre d'affaires de l'entreprise était en baisse et que la direction venait de procéder à des milliers de licenciements[18]. Le président du conseil d'administration avait justifié cette tartufferie par ces mots : « Nous avons le souhait de protéger la valorisation de l'entreprise parce que c'est aussi le moyen de protéger son indépendance dans la durée. » En effet, pour empêcher qu'un concurrent plus puissant ne rachète votre entreprise, il est très important de maintenir son cours en Bourse à tout prix... Y compris en augmentant la part de dividendes versés aux actionnaires. On peut, à juste titre, s'indigner de telles pratiques. Mais c'est malheureusement la réalité du capitalisme de ces dernières décennies, pour lequel le cours en Bourse est parfois plus important que la santé de l'entreprise et, par conséquent, que la vie des personnes qui y travaillent.

L'arnaque à 100 millions d'euros

À force de maximiser le profit à court terme au bénéfice de leurs actionnaires, certaines entreprises ont perdu leur « raison d'être » et participent à l'institution d'un système injuste, inégalitaire et révoltant. Et je parle en connaissance de cause car j'en ai été témoin, et profondément marqué.

Après un échec entrepreneurial à la sortie de l'école ainsi qu'un stage de fin d'études qui n'embauchait pas pour un temps plein, j'ai fait la connaissance d'Antoine[19] lors de mon pot de départ. Il venait de s'installer dans le même espace de *coworking* que celui de mon entreprise d'alors à Paris. Il y lançait un fonds d'investissement pour le compte d'un groupe d'e-commerce londonien en pleine croissance, Golden Group[20]. Et cherchait un stagiaire motivé et autonome pour six mois, avec embauche à la clé. Sur le papier, l'aventure s'annonçait passionnante. Après plusieurs entretiens, j'ai donc fini par signer.

Les premiers mois, en effet, furent incroyables. Tout était possible, nous avions carte blanche ! Voyages d'exploration en Israël, semaines à cheval entre Paris et Londres pour découvrir l'écosystème des start-up : pour un jeune diplômé, c'était le paradis. Quant aux performances de Golden Group, elles dépassaient de loin celles des start-up que je rencontrais. Curieux, j'ai commencé à poser des questions aux équipes opérationnelles et juridiques, au service client et au service paiement pour comprendre ce succès fulgurant.

Au bout de quelques mois, j'ai finalement commencé à avoir des soupçons. Quelque chose ne tournait pas rond. Pour étayer mes soupçons, je participais aux verres entre collègues le jeudi soir à Londres. Et c'est là que j'ai découvert que j'avais sauté à pieds joints dans l'arnaque du siècle ! Autour d'une bière, un employé de longue date m'a expliqué un soir en détail le fonctionnement de l'entreprise. Et, pour la première fois de ma vie, j'ai eu honte. Je me souviens avoir passé la nuit à fixer le plafond de ma chambre. Car, même si je n'étais que stagiaire, l'argent que j'étais chargé d'investir n'était pas propre.

Golden Group était une société qui proposait un accompagnement digital pour effectuer les démarches administratives de base : renouvellement de cartes grises ou de passeports, obtention de vignettes Crit'Air, etc. Et cela pour la modique somme d'un euro. En réalité, lorsque les clients se rendaient sur le site et pensaient payer la somme convenue, ils s'abonnaient sans le savoir à un bouquet de services inutiles : sms gratuits, espace de stockage décorrélé des besoins, etc. Une prestation facturée tous les deux mois pour la modique somme de trente-neuf euros ! Ensuite, selon un ancien employé, « il n'y avait plus qu'à attendre que le pigeon s'en rende compte pour lui proposer un SAV très efficace capable de stopper l'abonnement avant que la victime en parle à sa banque. Une solution qui fonctionnait dans 99 % des cas. » Quant aux 1 % de clients restants, la quasi-totalité renonçait à dénoncer l'entreprise à partir du moment où ils se faisaient rembourser leur dernier paiement. Par ailleurs, un service juridique efficace avait créé une multitude de sociétés-écrans, permettant de contourner opportunément les blocages de Google.

Les quelques talents que j'ai rencontrés sur place n'y sont pas restés longtemps, mais un salaire généreux permettait de fidéliser certains managers. Pour augmenter leurs marges, ils embauchaient massivement des stagiaires souvent bernés par une solide équipe en e-réputation anticipant tout risque de fuite sur leur système frauduleux. Pour ma part, lorsque j'ai découvert le pot-aux-roses, j'ai eu tellement honte que je n'en ai pas parlé à ma famille ni à mes amis. Je ne savais pas vers qui me tourner. Mais une seule chose était claire : il fallait que je quitte la boîte le plus vite possible. Alors, à la faveur d'un voyage à Londres, j'ai invité mon patron à prendre un café à St Pancras et lui ai présenté ma démission.

Quelques mois plus tard, le site et le groupe Golden ont fermé. Une enquête judiciaire venait d'être ouverte pour pratique commerciale frauduleuse et blanchiment d'argent. La société était soupçonnée d'avoir escroqué des milliers de Français pour un préjudice total qui s'élevait à plus de cent millions d'euros. J'ai appris par la même occasion que son fondateur avait déjà été condamné à cinq reprises pour escroquerie et pratiques frauduleuses. Cette entreprise, que l'on m'avait présentée comme un modèle de réussite, s'était finalement effondrée comme un château de cartes. Non sans manquer d'entraîner pour moi des conséquences catastrophiques...

Ainsi, un journal publiant un article sur l'arnaque l'avait illustré d'une photo prise lors du lancement du fonds de

Golden Group. Quatre personnes figuraient dessus : deux dirigeants, mon patron et moi ! Je n'oublierai jamais ce cliché. Si je suis naïvement tombé dans le panneau, je me suis juré de ne plus jamais me retrouver dans une telle situation. Cette aventure m'aura ouvert les yeux sur l'importance des valeurs d'une entreprise et de l'éthique de ses dirigeants. Ainsi, lorsqu'un actionnariat ne cherche que le profit à court terme, tout est permis et l'on franchit rapidement la ligne rouge.

Un peu d'histoire...

Mon expérience chez Golden Group m'a vacciné contre les pratiques financières agressives. Mais au lieu de tirer des conclusions hâtives sur la finance et le monde capitaliste, j'ai gardé en tête les innombrables anecdotes de mon grand-père passionné d'histoire. Des histoires permettant de remonter à la source de notre système actuel. En effet, les prémices du capitalisme remontent au XVe siècle. Lors de la révolte des Ciompi, en Italie, pour la première fois ou presque en Europe une classe de travailleurs prolétaires revendique des droits. Un petit groupe de familles de banquiers, dont les Albizzi ayant fait fortune dans le commerce de la laine, s'empare alors du pouvoir et instaure la république de Florence. Au XVIe siècle, alors que les échanges entre les continents et les peuples sont en plein essor, les grands navigateurs rapportent en Europe de l'or et des denrées exotiques. On retrouve à Lille des soieries tissées en Chine, et à Naples des tapis persans. Les banques prêtent alors de l'argent aux entrepreneurs hardis pour qu'ils rapportent de lointaines contrées des biens commerciaux de très grande valeur... Et c'est ainsi qu'est née la finance ! Au même moment, un système de « comptoirs » se développe au sein duquel les banques principales confient des sommes importantes aux voyageurs sous la forme de titres signés, leur évitant ainsi d'exposer leur or aux aléas de trajets périlleux – tempêtes, pirates, mutineries, etc. En 1600, la célèbre et britannique Compagnie des Indes orientales est fondée par un groupe d'hommes d'affaires influents. Elle deviendra l'entreprise commerciale la plus puissante de son époque. Créée sous le statut de *regulated company*, elle réunit cent vingt-cinq actionnaires pour financer son premier voyage. Ce nouveau modèle permet de remettre en cause les rapports traditionnels fondés sur la seule naissance et d'élargir l'accès à la propriété. Plus proche du nôtre, c'est grâce à ce modèle que d'immenses progrès sont réalisés : automobile (1769), vaccins (contre la variole en 1796, contre la rage en 1885), photographie (1839), téléphone (1876), ampoule électrique (1879), ondes radio (1888), aviation (1903), télévision (1926) ou encore ordinateur (1937).

Reprenons brièvement l'histoire de la pensée libérale aux origines de notre système économique. D'abord assujettis au pouvoir royal, les premières pratiques de prêts, d'intérêts et de spéculation sur la réussite ou l'échec d'une entreprise permettent à leurs auteurs de s'émanciper progressivement du joug d'une aristocratie désargentée et d'asseoir le pouvoir de la bourgeoisie. John Locke (1632-1704), l'un des fondateurs de la philosophie politique libérale, démontre que le capitalisme s'appuie sur un caractère commun à tous les hommes, à toutes les époques et à tous les continents : l'aspiration à la propriété privée, de pouvoir en jouir et de la transmettre à sa famille. En élargissant l'accession à la propriété, le capitalisme a transformé les rapports économiques et sociaux, de la production à la consommation des richesses et des biens. Et fait advenir des phases de grande croissance économique bénéfiques au développement de tous.

Une critique sans nuance du modèle capitaliste risque de masquer la réalité historique de son avènement et ses bienfaits tangibles : ce système aura notamment permis de réduire les inégalités liées à l'origine sociale. Car ceux qui souhaitent développer une idée ne se tournent plus seulement pour la financer vers des mécènes, mais vers des banques et des investisseurs. C'est ainsi que ces derniers, pressentant tout le bénéfice qu'ils pouvaient en tirer, se sont lancés.

Des progrès fulgurants grâce au capitalisme

Plus proche de nous encore, des données corroborent cette évidence dans l'ouvrage *Factfulness* de Hans Rosling : la finance de marché a contribué à des progrès fulgurants pour l'humanité tout entière. Saviez-vous que la proportion de la population mondiale vivant sous le seuil de pauvreté et le taux de mortalité infantile ont ainsi presque diminué de moitié[21] au cours des vingt dernières années ? En Inde et en Chine, ce sont plus de 1,2 milliard de personnes qui sont sorties de l'extrême pauvreté depuis que leur pays s'est tourné vers l'économie de marché[22]. Aujourd'hui, plus de 90 % de la population mondiale a désormais accès à l'électricité[23], et l'espérance de vie moyenne s'établit à 72 ans[24]. Au total, les vaccins ont permis de maîtriser à des degrés divers sept graves maladies : variole, diphtérie, tétanos, fièvre jaune, coqueluche, poliomyélite et rougeole. La variole a même été éradiquée et la polio quasiment, passant de 350 000 cas en 1988 à moins de 200 en 2019[25]. Aujourd'hui, 80 % des enfants de moins d'un an sont vaccinés contre l'une ou l'autre de ces maladies[26]. La qualité de vie de milliards d'êtres humains s'est donc considérablement améliorée grâce à la production massive de biens accessibles à bas coût.

Quel est le point commun entre les cinq capitalisations boursières américaines les plus importantes, Microsoft, Apple, Amazon, Alphabet (Google) et Facebook ? Créées après 1975, elles ont toutes été financées par des investisseurs en capital-risque. C'est-à-dire par des fonds d'investissement finançant des entreprises non rentables lors de l'investissement, mais au potentiel de croissance rapide. C'est ainsi que l'on définit aujourd'hui les start-up. Dans la même veine, en 2015, une étude menée par l'université Stanford a analysé l'évolution entre 1974 et 2014 de toutes les entreprises cotées en Bourse aux États-Unis. Sur les 1 339 entreprises cotées créées après 1974, 42 % ont reçu des financements provenant d'investisseurs en capital-risque – appelé « VC » pour *venture capital.* En 2014, ces 556 entreprises employaient au total plus de trois millions de personnes et représentaient à elles seules 85 % des investissements en recherche et développement effectués par les entreprises approchées pour l'étude. Ce genre d'enquête prouve donc la corrélation entre le financement issu du capital-risque et la création de valeur dans l'économie réelle (emploi, innovation, R&D)[27].

Quant à moi, au sortir de mon école d'ingénieur, je dois bien avouer que la finance m'intriguait. Rêvant de devenir entrepreneur, je suis rentré en France pour me lancer, mais le projet n'est pas parvenu à décoller. Je me suis alors dit, pour réussir à la prochaine tentative, qu'une expérience en investissement au sein de start-up me serait toujours utile.

On m'a donné ma chance !

Je ne connaissais personne dans ce milieu qui me paraissait inaccessible et réservé à l'élite. Sachant que les directeurs de fonds d'investissement ne me répondraient certainement pas en lisant mon CV, j'ai proposé un café aux jeunes recrues en bas de leur bureau. J'espérais faire bonne impression, et me donner la chance de franchir les premières phases d'entretiens qui leur étaient souvent confiées.

C'est ainsi que j'ai postulé à un stage d'analyste chargé d'investissements chez Blisce, jeune fonds d'investissement spécialisé dans les start-up. Le processus de recrutement était presque terminé, mais la personne qui avait publié l'annonce a néanmoins eu la gentillesse de me recevoir. Puis de m'envoyer une étude de cas à lui retourner le lendemain matin. Sans aucune expérience professionnelle en finance, j'ai passé la nuit à travailler sur l'exercice. Othmane, devenu par la suite l'un de mes meilleurs amis, et Charles-Henri Prevost, le directeur général de Blisce et l'un de mes actuels mentors, m'ont alors donné ma chance. Je n'avais certes pas toutes les compétences requises... mais j'étais prêt à apprendre vite et à travailler dur.

Un peu après ce stage, j'ai postulé chez Blisce à un emploi à temps plein nouvellement ouvert. Depuis mon expérience douloureuse chez Golden Group, j'avais réfléchi au sens que je voulais donner à ma vie. C'est à ce moment-là, au cours d'un entretien d'embauche plutôt original, que j'ai fait la connaissance d'Alexandre Mars, CEO de Blisce mais également initiateur de la fondation EPIC. Tout juste débarqué de New York, en route pour son hôtel où poser sa valise, Alexandre m'a donné rendez-vous dans son taxi. Je l'ai accompagné à un shooting photo où j'ai reçu pour mission de le faire rire, et nous avons achevé notre échange au pied des bureaux d'Europe 1 où il devait donner une interview. Ce qui m'a convaincu dans cette première rencontre improvisée, c'est qu'il m'a fait réfléchir au rôle de premier plan que l'on pouvait endosser en tant qu'investisseur. De ce point de vue, pour changer ce qui nous semble injuste autour de nous, deux principales voies antinomiques sont envisageables : rejoindre les activistes qui choisissent de se placer en marge d'une société qui les révolte, et porter la voix de ceux qui en sont privés pour mobiliser les foules ; ou entrer dans le monde de la finance, et en apprendre les codes et les rouages pour chercher ensuite à changer le système de l'intérieur. Bien que ces deux options soient sans doute complémentaires pour un changement en profondeur, c'est la deuxième option que j'ai choisie. Influencé en cela par les personnes remarquables que j'ai eu la chance de rencontrer.

J'ai été recruté pour une mission bien précise : partir à la rencontre des grandes fortunes européennes et les convaincre d'investir à nos côtés dans des entreprises de la Tech. Chaque semaine, je me rendais dans les grandes capitales européennes pour approcher des entrepreneurs à succès, des héritiers de grands groupes industriels, des propriétaires de club de football, des financiers de haut vol, etc. À vingt-cinq ans, je me présentais comme « directeur d'investissement » pour paraître plus crédible à leurs yeux. Mais, comme je ne bénéficiais d'aucun réseau dans ce monde qui m'était étranger, il a fallu que je m'accroche. Il n'existe pas d'annuaire des grandes fortunes. Alors j'ai imaginé quelques techniques qui m'ont beaucoup aidé à mes débuts. Lors de conférences placées, par exemple, j'ai pris l'habitude de prendre discrètement en photo les panneaux avec le nom et le prénom des personnes présentes... afin de les contacter ensuite sur LinkedIn.

En hélicoptère à Monaco

Avant de continuer, je ne peux m'empêcher de vous raconter mon premier séjour professionnel à Monaco. Pas de chance, il a débuté par un vol EasyJet retardé de deux heures, suivi d'interminables bouchons en bus entre l'aéroport de Nice et Monaco. J'avais rendez-vous au Métropole, l'un des hôtels les plus luxueux de Monte-Carlo, avec le conseiller financier de plusieurs Monégasques fortunés. Après lui avoir présenté mes excuses pour mon retard, il m'a demandé : « Pourquoi n'as-tu pas pris un hélicoptère ? C'est beaucoup plus rapide que le taxi. Veux-tu le numéro de mon pilote ? » Ne sachant pas quoi répondre, j'ai souri et noté les coordonnées. Et, pour rester crédible, je me suis bien gardé d'avouer que je n'étais même pas venu en taxi, mais en bus. À la fin du rendez-vous, j'ai proposé poliment de prendre la note pour régler les deux expressos, la bouteille d'eau et le jus d'orange. Convaincu qu'il y avait une erreur sur la note à cinquante euros, je suis allé voir le serveur. Il ne s'était pas trompé. Et moi, j'étais bel et bien dans un autre monde. Après une journée bien remplie par mes huit rendez-vous, je retrouve mon arrêt de bus pour repartir à Nice. Et qui apparaît alors un peu plus loin ? Le conseiller de mon premier rendez-vous ! Je me suis caché derrière un poteau de briques jusqu'à l'arrivée du bus parce que je sentais bien qu'il n'aurait pas compris que je ne prenne pas... l'hélicoptère.

Lors de ces voyages, j'ai réalisé que toutes ces personnes fortunées se connaissaient, directement ou par contact interposé, en tant que membres d'une élite mondiale. Ces réseaux structurés, internationaux, donnent accès pour ceux qui les identifient à des interlocuteurs haut placés dans tous les domaines d'expertise, de l'immobilier à la politique, ou de l'industrie aux nouvelles technologies.

Le réseau tout aussi important que l'argent

Le monde de la finance et des hauts dirigeants est donc structuré et dépasse les frontières. Et il contribue au moins autant à la puissance de ses acteurs que ne le fait leur fortune. Cela m'est apparu clairement lors de rencontres avec un ancien chef d'État d'une des grandes puissances mondiales, avec des magnats de l'immobilier au Kenya, avec les rock stars de l'entrepreneuriat au Cambodge, ou avec l'une des plus riches familles turques lors d'un passage à Istanbul. Tous ces gens se connaissent, se fréquentent, s'épient et s'entraident, au sein de réseaux inaccessibles au commun des mortels.

J'ai appris sur le terrain que cet écosystème des grandes fortunes est façonné par le réseau et ses propres codes. Alors que l'on découvre en grandissant l'existence de plafonds de verre et autres barrières symboliques sur le marché du travail, il faudrait, pour les déjouer, enseigner par équité ce *modus vivendi* singulier à ceux qui ne sont pas nés dans ce monde. Les stages et l'alternance en entreprise sont de bonnes portes d'entrée, mais on pourrait aller plus loin. Il faudrait pour cela accorder plus d'importance dès l'université au développement personnel et aux *soft skills* pour que les étudiants acquièrent des réflexes de « savoir-être » en entreprise : formules de politesse à l'écrit et à l'oral, structure d'une lettre de motivation, manière de se présenter en réunion, etc. L'apprentissage de ces savoir-être se complétant de la prise de conscience de l'importance cruciale du réseau.

Par ailleurs, rappelons une évidence : l'argent n'est pas une fin mais un moyen. Mais c'est la finance qui fixe sa valeur. Elle donne un prix aux fruits et légumes comme aux matières premières ; elle oriente le choix des énergies que nous utilisons quotidiennement ; et, virtuellement ou non, nous l'emportons partout avec nous. Aussi est-il crucial de comprendre les enjeux de l'économie financière pour ensuite en user au profit de l'intérêt général. Dans cette perspective, il semble donc primordial que, dès le lycée, les élèves suivent des cours de finance de base. Bien plus, ce que permet la finance devrait profiter au plus grand nombre. Et l'image de la finance dans notre société serait nettement différente si chaque Français pouvait accéder à un même panel de services financiers pour emprunter de l'argent, monter son entreprise ou investir dans des projets qui lui tiennent à cœur.

Les écuries de Formule 1

Afin d'illustrer la manière dont certains réseaux se structurent, j'aimerais vous faire partager une anecdote qui concerne des écuries de Formule 1. Lors de l'un de mes voyages en Suisse, j'ai été mis en relation avec un homme d'une quarantaine d'années. Sa mission était de gérer le patrimoine de deux milliardaires ayant fait fortune dans l'immobilier et les nouvelles technologies. Il m'avait donné rendez-vous dans son bureau, dans lequel j'ai découvert une multitude de voitures miniatures de deux écuries de Formule 1. Voyant ma curiosité piquée au vif, il m'a expliqué que ses deux associés et lui avaient jadis été propriétaires de ces deux célèbres écuries. Alors que, de son propre aveu, aucun d'entre eux n'était passionné par les courses de voitures... Alors pourquoi avaient-ils réalisé cet investissement qui leur coûtait plusieurs dizaines de millions de dollars chaque année ? Il m'a confié alors que, si ces écuries n'avaient pas rapporté directement d'argent, elles avaient servi de prétexte pour signer leurs plus gros contrats. Vu sous cet angle, il est en effet plus facile de solliciter les CEO des plus grandes multinationales du monde, ou même des chefs d'État, quand on les invite en loge à un grand prix de Formule 1 ! Chaque grand prix était alors l'occasion d'inviter des hôtes de marque avant de discuter business autour d'un dîner prestigieux. Un modèle qui fonctionne sans doute de la même manière dans d'autres sports comme le football. Et donne vraisemblablement aussi une certaine utilité aux yachts.

Les préjugés sur les grandes fortunes

Au cours de mes voyages à travers l'Europe, dans le cadre de ma mission pour Blisce, j'ai eu l'occasion de rencontrer des femmes et des hommes habités par cette volonté d'utiliser la finance comme un moyen pour changer les choses. Moins connus que les traders déraisonnables qui défrayent régulièrement la chronique, ces personnes disposent pourtant d'un immense pouvoir d'action. Et, comme le dit le dicton pop : « *With great power comes great responsabilities !*[28] »

Quand on parle de préjugés, on pense aussitôt aux préjugés raciaux ou de classe. D'autres formes ont cependant la vie dure, comme ceux sur les grandes fortunes. Plus jeune, mon jugement se limitait à ce que je pouvais voir à la télévision, surtout dans les clips de musique qui donnent à voir la richesse : voitures de sport, montres ornées de diamants, soirées arrosées avec des bouteilles hors de prix. Autant de clichés déconstruits dès que j'ai eu l'occasion de rencontrer ces grandes fortunes en chair et en os lors de ma première mission chez Blisce. J'ai alors été présenté à plusieurs centaines de personnes parmi les plus fortunées d'Europe, pesant chacune entre quelques dizaines de millions et quelques milliards d'euros. Or, contrairement à ce que j'aurais pu penser, la plupart étaient très sympathiques. Ces gens se comportaient normalement et rien ne trahissait leur richesse. Aucune des familles les plus opulentes ne s'est présentée en Ferrari, habillée en Hermès, Gucci ou Prada. J'ai par ailleurs pu observer que, dans ces familles comme dans n'importe quelle autre, tout n'était pas rose. Leurs membres ne s'inquiétaient certes jamais du gîte et du couvert. Mais il n'est pas évident d'être « le fils de » toute sa vie, de construire des amitiés sans vraiment savoir si elles sont intéressées. Ou de faire face à des disputes acharnées sur des questions d'héritage ou de gouvernance de l'entreprise familiale. Non, décidément, l'argent ne fait pas le bonheur – mais il y contribue, surtout quand on ose l'engager dans des causes justes.

Un petit détour par la pensée d'Aristote

Je me risque à un petit détour par la philosophie antique pour pousser un peu plus loin. Aristote écrit dans l'*Éthique à Nicomaque* : « On peut faire un bon ou un mauvais emploi des choses qui ont quelque utilité [...] ; par conséquent, celui qui possède la vertu relative aux richesses sera aussi capable d'en faire le meilleur emploi.[29] » Le bon usage des richesses est donc une vertu, c'est-à-dire un penchant de l'âme, une habitude cultivée. Sans elle, le riche risque de devenir esclave – de la jouissance, de son image sociale, de la volonté de puissance. Le philosophe nomme cette vertu « relative aux richesses » la « magnificence », c'est-à-dire la vertu des grandes choses accomplies, des grandes entreprises. La richesse peut ainsi rendre heureux celui qui la met au service de ce qui est grand, de ce qui est beau, de ce qui le rend plus humain – l'art, une œuvre de bienfaisance, la protection de l'environnement. C'est la différence entre celui qui gagne une grosse somme d'argent sans avoir appris à l'utiliser à bon escient et celui qui a toujours vécu avec de grands moyens. L'un risque de rechercher par l'argent une vie facile portée vers le luxe ; l'autre sait que cette existence-là ne rend pas heureux, et que l'argent est surtout un moyen pour agir dans le monde.

Des puissants au service d'un monde meilleur

Au gré de mes aventures professionnelles, j'ai eu la chance de rencontrer des personnes d'influence très engagées dans les enjeux de responsabilité sociale et environnementale (RSE). Ces personnes, qu'on imagine inaccessibles au sommet de leur tour d'ivoire, œuvrent le plus souvent dans l'ombre. Leurs initiatives n'en restent pas moins essentielles pour rendre le monde meilleur. Et elles sont pléthore. Voici quelques exemples de celles qui m'ont le plus marqué. Car, comme l'écrit Alexandre Mars : « À côté des Picsou, il y a deux autres catégories de patrons, business leaders ou décideurs. La première existe en réalité depuis très longtemps : c'est celle des activistes du bien social. La seconde catégorie est celle des pragmatiques. Ceux-là ont intégré le darwinisme : l'espèce qui survit n'est pas la plus forte mais celle qui sait s'adapter.[30] »

Lors de notre aventure au Kenya avec ma sœur Marine, nous nous sommes arrangés pour rencontrer chaque soir un leader local différent. L'idée était d'échanger de manière informelle pour mieux appréhender les us et coutumes du pays et se donner la chance de belles rencontres. C'est ainsi que, grâce à un ami commun, nous avons fait la connaissance de Bob Collymore, patron de Safaricom, la plus grande entreprise télécom d'Afrique de l'Est. Très engagé dans la lutte contre la corruption qui continue de gangrener le pays, ce grand chef d'entreprise s'est donné pour mission de prouver à la jeune génération que l'on peut réussir sans tricher. C'est dans cette optique que Bob Collymore s'est mis à publier l'intégralité de ses revenus et investissements, dans une démarche de transparence inédite sous ces latitudes.

Autre exemple, celui d'Hortense Decaux dont le grand-père a fondé l'entreprise du même nom. Elle fait partie d'un club que nous avons créé avec un ami pour réunir les jeunes de moins de trente-cinq ans impliqués dans les affaires de leur famille. Après quatre ans dans un grand cabinet de conseil en stratégie, Hortense aurait pu faire le choix d'une carrière prestigieuse. Elle a finalement décidé de mettre à profit son réseau et ses compétences pour lancer Codi Tech[31], une ONG basée au Liban qui offre aux réfugiés une formation de développeur. À l'issue du programme, la quasi-totalité des diplômés trouvent un emploi payé mille dollars par mois en moyenne. Soit entre deux et quatre fois le salaire initial de ceux qui travaillaient déjà. Je me souviens de ce coup de téléphone où elle m'a parlé avec beaucoup d'émotion de la désastreuse explosion dans le port de Beyrouth en août 2020. La force de la déflagration a fait littéralement voler en éclats les baies vitrées de Codi, criblant les murs de morceaux de verre. Ce jour-là, deux employés devaient être au bureau. Au moment de l'explosion, l'un s'était rendu aux toilettes et l'autre venait juste de s'absenter. Par chance, la remise de diplômes qui réunit tous les élèves de Codi avait eu lieu quelques jours auparavant !

Quelques mots sur le philanthrope Chuck Feeney, un puissant qui m'a marqué. Cofondateur dans les années 1960 du géant de la vente au détail des aéroports Duty Free Shoppers, il a fondé la célèbre société de capital investissement General Atlantic. Il est aussi l'un des premiers à avoir décidé de donner de son vivant la majeure partie de sa fortune à de grandes œuvres de charité plutôt que de financer une fondation à sa mort. Selon ses propres mots : « Puisque vous ne pouvez pas l'emporter avec vous, pourquoi ne pas tout donner, contrôler où va votre argent et voir les résultats de vos propres yeux ? Et à ceux qui se demandent ce qu'est le don de son vivant : Essayez, vous aimerez.[32] »

Après avoir mis de côté deux millions de dollars, il a fait don de plus de huit milliards de dollars, soit 99,99 % de sa fortune, à des organismes variés via sa fondation Atlantic Philanthropies. Ainsi, 3,7 milliards de dollars ont été consacrés à l'éducation, 870 millions à la promotion des droits de l'homme, 700 millions à la santé, etc. Le 14 septembre 2020, à quatre-vingt-neuf ans, Chuck est parvenu au terme de sa mission : il a alors fermé sa fondation car il avait tout donné. Et, comme il s'est efforcé de garder ses dons secrets et anonymes, le magazine *Forbes* a fini par parler de lui comme du « James Bond de la philanthropie[33] ».

Si nous ne choisissons ni notre famille ni nos origines sociales, nous sommes néanmoins toujours en mesure d'agir à notre échelle : refuser d'entrer dans la ronde de la corruption, choisir de placer ses talents au service de grandes causes, investir dans des entreprises qui contribuent à constuire un monde plus juste et plus durable. Chacun peut se poser ces deux questions : où puis-je avoir le plus d'impact ? Que puis-je faire, ici et maintenant, pour le bien commun ? Finalement, une certitude demeure : il faut des personnes de bonne volonté partout, aussi bien au sein d'associations caritatives, de grands groupes industriels ou de comités de direction d'empires financiers.

Les requins à col blanc existent-ils encore ?

Bien que j'aie rencontré bon nombre de personnes fortunées et bienveillantes, une question a continué de me tarauder. Golden Group était-il un cas isolé, ou bien le système était-il infecté par d'autres entreprises de ce genre ? Avec quelques années d'expérience supplémentaires, le constat est sans appel : d'autres requins sévissent malheureusement. Des « requins à col blanc », comme ce patron d'un grand fonds d'investissement américain qu'une connaissance m'a présenté. À l'époque, Blisce était l'un des actionnaires les plus importants de Spotify. Juste avant l'entrée en Bourse de la plateforme musicale, nous avions eu l'opportunité d'acheter des actions supplémentaires. Et j'avais été mis en relation avec cet homme, intéressé pour investir à nos côtés dans cette entreprise. Très professionnel et efficace, il pouvait débloquer plusieurs millions de dollars en quelques jours. Tout s'est bien passé jusqu'au jour où je l'ai engagé sur une opération que nous avons finalement ratée à cause d'un manque de réactivité de notre banque. Je lui ai annoncé l'échec de l'opération un vendredi soir. Tout l'état-major du fonds d'investissement s'est alors mis en branle pour nous sommer de conclure l'affaire, jusqu'à tenter de nous intimider en nous menaçant de porter l'affaire en justice. Seul au bout du fil, sachant en plus que nous n'étions pas en tort, j'ai fait de mon mieux pour défendre notre position. Mais ce soir-là, je compris que les fameux requins de la finance existaient réellement. Et qu'ils étaient prêts à tout pour parvenir à leurs fins : amasser un maximum de profit. Une expérience, avec le recul, très intéressante pour moi. Comme l'exprime sans fausse pudeur Stephen Schwarzman, légende de Wall Street, fondateur et directeur général du fonds Blackstone : « Nous gagnons notre vie grâce à une seule chose : notre capacité à délivrer du rendement pour nos investisseurs. C'est ça, notre raison d'être. Si les profits devenaient un simple objectif parmi cinq autres, ce serait ingérable.[34] »

L'entrée de Spotify à Wall Street

Le 3 avril 2018, jour de mon anniversaire, j'ai fait l'expérience concrète de la puissance des marchés financiers. Spotify faisait son entrée à Wall Street avec une valorisation de vingt-sept milliards de dollars, à l'époque la septième entrée en Bourse la plus importante pour une entreprise de la Tech. Parce que Blisce faisait partie des actionnaires les plus importants de Spotify, l'équipe s'était déplacée à New York pour vivre en direct ce moment inoubliable. Depuis les bureaux de la banque d'investissement Morgan Stanley, une équipe d'experts nous accompagnait pour définir la stratégie de vente des actions sur la Bourse de New York. « 3, 2, 1... Go ! » En l'espace de quelques secondes, tous les compteurs se sont emballés ; j'ai assisté en temps réel au décompte des actions qu'achetaient des traders pour des centaines de millions de dollars. À ce moment-là, j'ai compris que je devais me former à un autre aspect du métier d'investisseur : l'analyse financière, qui me permettrait de piloter un investissement de A à Z. Cet événement m'a aussi fait prendre conscience de l'aubaine que peuvent représenter les marchés financiers pour des projets d'intérêt général. Apprendre à les maîtriser et à les mettre au service de ces projets ouvre ainsi la perspective d'un financement quasi illimité. Fort de cette conviction nouvelle, je suis allé voir mes managers Alexandre et Charles-Henri pour les informer que je souhaitais me former au métier d'analyste financier.

Mon rôle en tant qu'investisseur

À la différence de mon premier poste, qui consistait à convaincre des personnes fortunées d'investir à nos côtés, il me fallait maintenant apprendre à identifier les entreprises dans lesquelles il était judicieux d'investir. Ce travail exige à la fois des compétences relationnelles pour échanger avec des dirigeants d'entreprise et des compétences techniques pour analyser le potentiel d'un projet et son coût. Je me suis donc formé sur le tas, jusqu'à devenir responsable des investissements de Blisce[35] en Europe. Pour parler de ce que je connais, depuis mon arrivée Blisce a investi dans trente sociétés aux États-Unis et en Europe telles que Spotify, Too Good To Go, Pinterest, Brut, Headspace, Candid, Bird, Imperfect Food, Redesign Health ou encore Blablacar.

Quelques mois après mon changement de poste, j'ai constaté que nous étions nombreux à nous rendre compte que le changement en cours du modèle financier était surtout imputable à l'avènement d'une nouvelle génération d'entrepreneurs et de financiers. Une manière de me conforter plus encore dans ma nouvelle orientation professionnelle : en tant qu'investisseurs, nous avons un pouvoir d'action immense, surtout en matière d'ESG[36]. Et ce pouvoir, je comptais bien l'utiliser à bon escient.

Chez Blisce, fonds à la fois actionnaire et membre du conseil d'administration des entreprises dans lesquelles nous investissons, notre mission est d'accompagner et de soutenir au mieux les équipes dirigeantes qui souhaitent porter des engagements ambitieux sur les questions de responsabilité sociale et environnementale. Convaincu du puissant potentiel social de la finance, je cherche à sponsoriser des projets alliant performance économique et impact positif sur la société. Si nous arrivons à démontrer que l'équation intégrant ces deux critères est lucrative, nous favoriserons un changement de comportement systémique au sein de la sphère financière.

Lorsque j'analyse des opportunités d'investissement, j'essaie de comprendre les motivations des entrepreneurs et de m'assurer que leur volonté de mener une politique ESG ambitieuse soit forte et authentique. Je leur demande ainsi de répondre à un questionnaire élaboré à partir de la méthode B Corp[37] : il permet de leur attribuer un score et de définir leurs forces et leurs axes d'amélioration. Une fois l'investissement octroyé, nous organisons des sessions de travail avec les dirigeants afin de les aider à établir une stratégie ESG pour les dix-huit mois suivants, et nous fixons pour chaque conseil d'administration un ordre du jour ESG.

Je suis bien conscient qu'il est difficile pour les entrepreneurs de start-up en pleine croissance de prendre tous les engagements qu'ils souhaiteraient. Tout l'enjeu de nos sessions consiste justement à les aider à prioriser les projets qui auront le plus d'impact. Par exemple, les entreprises dans lesquelles nous investissons nous sollicitent souvent pour mettre en place une politique de recrutement inclusive. Comme la finance ne se limite pas, selon nous, à enrichir les plus riches, nous avons aussi pris des engagements en interne et reversons 20 % de nos profits aux organisations sociales accompagnées par la fondation EPIC.

En tant qu'actionnaire, nous avons un rôle à jouer en encourageant des pratiques vertueuses et en accompagnant des entrepreneurs qui mettent leur talent au service de grandes causes. Pour cela, il est nécessaire de familiariser et de former les analystes financiers à la mesure de la performance extra-financière. Afin de susciter le plus d'adhésion possible dans les conseils d'administration, il est important de sensibiliser les dépositaires et petits épargnants à ces sujets. La prise de conscience de ces derniers et une parole claire sur le sujet représentent en effet de puissants leviers. Pour qu'une entreprise soit durable, ses dirigeants devraient également définir des objectifs ESG clairs incluant l'ensemble des parties prenantes, et les intégrer dans la stratégie de l'entreprise, définir des responsables de leur mise en place et des procédures de suivi de ces engagements. Il est indispensable de repenser le modèle de rémunération des dirigeants en fonction d'objectifs sur le long terme, alignés sur une approche ESG. Tout comme il est nécessaire de soutenir la recherche afin de faire émerger de nouveaux modèles de valorisation de l'impact, corrélés avec la performance financière des entreprises.

L'émergence d'investisseurs engagés

J'ai eu la chance de croiser la route de nombreux investisseurs engagés, comme Sam Bonsey, directeur général chez Impact. Cette initiative a été lancée par Justin Rockefeller et un groupe de familles fortunées cherchant à accorder leurs investissements à leurs valeurs. La mission d'Impact consiste ainsi à conseiller d'autres lignées désireuses de procéder à des investissements responsables à l'impact social et environnemental mesurable. Lui-même héritier américain très fortuné, Sam m'a fait remarquer qu'au début de l'ère capitaliste les investisseurs attendaient légitimement un retour sur investissement lorsqu'un projet aboutissait. Par la suite s'est développée la notion financière de « risque » qui a été théorisée en une multitude de modèles de gestion du risque. À chaque risque son modèle : investir dans un appartement ou dans une start-up ne présente pas le même risque. Aujourd'hui, il est nécessaire d'enrichir ces modèles d'une notion supplémentaire : celle des « externalités ». L'intégration de ce critère a semblé importante à la famille de Sam en raison de ses activités commerciales. La famille avait historiquement en charge l'exploitation de ressources fossiles, un réseau de stations-service qui vendaient les cigarettes les moins chères du pays et une exploitation forestière. Ces diverses activités avaient poussé Sam à s'interroger sur les conséquences que chacune produisait sur la collectivité, soit leurs externalités positives ou négatives. Doit-on en effet établir une gradation dans les sanctions, par exemple en cas de marée noire ? Les taxes sur les cigarettes ne devraient-elles pas être proportionnées au coût de la prise en charge par l'État des maladies qu'elles provoquent ? À l'inverse, ne devrait-on pas défrayer les propriétaires de forêts en raison de leur contribution à la captation de CO_2 dans l'atmosphère ? L'un des grands enjeux de la finance future sera de quantifier ces externalités afin de valoriser les bonnes pratiques des entreprises.

Afin d'aider investisseurs et entreprises à mesurer dans le temps leurs initiatives responsables, différents mouvements, organismes de certification et agences de notation se sont constitués. Dans l'univers start-up, la certification B Corporation dite « B Corp », déjà évoquée plus haut, est à cet égard très parlante. Avec plus de 3 400 entreprises certifiées B Corp dans soixante-dix pays, le mouvement dont elle est issue porte à travers le monde des valeurs fortes de changement pour faire des entreprises *a force for good.* Et valoriser celles qui réconcilient but lucratif – *for profit* – et intérêt général – *purpose.* La vision de ce mouvement s'articule autour de cinq piliers d'impact : gouvernance, collaborateurs, collectivité, environnement et clients[38]. Des agences de notation sociale et environnementale telles que Vigeo Eiris, permettant aux entreprises cotées de recevoir une évaluation extra-financière indépendante, sont devenues des références de premier plan. Vigeo Eiris a d'ailleurs accueilli en 2019 un actionnaire majoritaire de renom : la célèbre agence de notation Moody's, qui évalue notamment la solvabilité des États. L'enjeu actuel consiste donc à normaliser la production de tels indicateurs et certifications, et à les centraliser pour instituer un standard international. En l'occurrence, Blisce est le premier fonds de croissance en Europe à avoir été labellisé B Corp.

Comme le résume Emmanuel Faber, ancien PDG de Danone, entreprise certifiée B Corp : « Il n'y a pas d'un côté le projet social de l'entreprise et, de l'autre, le projet économique : les deux sont intrinsèquement liés. »

L'alliage finance et impact : un cocktail suprême

Chaque semaine, je fais la connaissance d'entrepreneurs qui me présentent leurs initiatives. Celles qui me passionnent sont celles qui combinent une mission d'intérêt général à un modèle économique viable. À ce sujet, quelques mots sur le CEO de Prodigy Finance, une plateforme qui octroie des prêts aux étudiants de tous les pays pour donner à tous la chance d'étudier dans les meilleures écoles. Son entreprise participe d'une mission d'intérêt général : réduire les inégalités sociales dans la sphère de l'éducation. En effet, comment un étudiant sénégalais admis à Harvard pourrait-il obtenir un prêt auprès d'une banque américaine pour financer ses études ? De manière générale, les banques sont plutôt frileuses à l'idée d'aider un étudiant originaire d'un pays considéré comme « à risque ». Cameron aurait très bien pu lancer un projet associatif destiné à soutenir une centaine d'étudiants brillants confrontés à ce genre de barrières. À la place, il a mis à profit son réseau et ses connaissances en finance pour concevoir un modèle de prêt plus juste et bénéfique pour tous. Preuve en est l'enveloppe de plus d'un milliard de dollars confiés à Prodigy Finance par Goldman Sachs, le Crédit suisse ou encore la Deutsche Bank. Au total, ce sont les prêts de dizaines de milliers d'étudiants partout dans le monde qui ont été financés par ce canal[39]. Voilà l'illustration de ce que peut faire une « finance » au service d'une « conscience ».

L'essor d'entreprises activistes

Avez-vous déjà entendu parler de l'application sur téléphone Too Good To Go ? À l'heure actuelle, un tiers de la nourriture produite chaque année dans le monde est gaspillée, soit 1,6 milliard de tonnes qui représentent près de 10 % des émissions de gaz à effet de serre. C'est ce qui a motivé la création de nouvelles formes d'entreprises, comme Too Good To Go, qui valorise les denrées périssables proches de leur date de péremption. Lucie Basch, l'une des cofondatrices de l'application, avait constaté lors d'un stage chez Nestlé que la majeure partie du gaspillage alimentaire provenait, sans surprise, de la grande distribution, des commerces (boulangeries, hôtels, restaurants...) et de la consommation. La cause principale : la difficulté à gérer les stocks et les flux logistiques à cause des dates de péremption. Too Good To Go s'est imposé dans ce contexte comme la plus grande *marketplace* de surplus de nourriture. La structure met en relation magasins et clients pour écouler les stocks plutôt que de les détruire faute d'alternative. En tant qu'utilisateur de l'application, j'ai pu vérifier le bénéfice que chaque partie en retire. D'un côté, le client fait une bonne affaire en achetant un panier-repas à petit prix tout en protégeant l'environnement. De l'autre, le magasin évite les pertes sèches en revendant ses surplus, élargit sa clientèle et contribue lui aussi à la préservation de la planète. En prenant une commission sur chaque repas épargné, Too Good To Go a réussi à lier modèle économique et impact environnemental. Développée dans quatorze pays d'Europe et, depuis peu, aux États-Unis, la plateforme connaît une croissance exponentielle.

Chez Blisce, nous avons souhaité rejoindre cette aventure en tant qu'investisseurs. Et ce qui m'a particulièrement marqué, lors de nos premiers échanges avec Mette, la CEO installée au Danemark, a été la liste des dix points sur lesquels nous avons dû nous engager pour investir dans l'entreprise. Il était indispensable pour elle que l'on soit aligné tant sur les valeurs que sur la mission de l'entreprise. Et que nous puissions lui garantir que nos partenaires financiers n'étaient pas liés à des affaires d'évasion fiscale ni engagés dans des secteurs d'activité amoraux. Une prudence qui témoigne de l'attachement de toute l'entreprise, des actionnaires aux employés, à des valeurs communes.

Car, comme l'explique Lucie Basch : « Nos utilisateurs font vraiment un geste pour la planète, et notre objectif est de les éduquer et de les sensibiliser à travers l'appli, notre blog et nos réseaux sociaux. Nous voulons leur donner des clés pour s'engager plus loin dans une démarche durable et écoresponsable, tout en gardant un ton inspirant. »

L'ESG face aux défis des prochaines décennies

Au-delà de son importance dans la performance de l'entreprise, d'autres arguments scientifiques plaident en faveur d'un investissement massif dans les programmes ESG. Mon frère Quentin est devenu formateur dans une association, La Fresque du climat, qui cherche à éveiller les citoyens sur l'urgence climatique. Voici quelques éléments édifiants tirés de l'une de leurs formations.

D'abord, l'état de la planète continue de se dégrader. Le dégel des sols de l'Arctique libère environ six cents millions de tonnes de CO_2 par an – une émission qui dépasse celles produites par 189 pays en un an[40]. Quant au réchauffement des océans, il a provoqué depuis cinquante ans la disparition de la moitié du phytoplancton mondial, ces micro-plantes qui produisent la moitié de l'oxygène de la Terre[41]. Plus encore, les répercussions liées à la dégradation des conditions de vie s'annoncent dramatiques. L'ONU prévoit que, d'ici 2050, on comptera deux cents millions de réfugiés climatiques[42].

Ce chiffre est pour le moins inquiétant quand on sait que les gouvernements actuels n'arrivent pas à prendre en charge les six millions de réfugiés syriens.

Ces projections devraient suffire à ce que les entreprises et les gouvernements prennent au sérieux l'ESG et veillent, dans leur modèle, à préserver la planète plutôt qu'à piller ses ressources. Pour autant, ce changement de paradigme dans la sphère financière n'est pas simple : son activité repose en effet en grande partie sur l'industrie des hydrocarbures fossiles. Aujourd'hui encore, les banques et les grands fonds de gestion d'actifs ont investi des centaines de milliards d'euros dans la spéculation sur les énergies fossiles – des actifs qui, soit dit en passant, ne vaudront plus grand-chose quand les ressources seront taries ou que le monde réalisera enfin l'hypothèque que nous faisons de notre avenir sur Terre. Et cela, ces banques et ces fonds d'investissement en sont parfaitement conscients : l'éveil des consciences à l'urgence écologique provoquera leur faillite. La relation finance/climat est donc à double tranchant : les marchés façonnent le climat de demain, et le dérèglement climatique affectera tôt ou tard en retour les marchés financiers. On voit déjà apparaître de nouvelles formes de risques – les risques financiaro-climatiques –, et leur traduction juridique prend de l'ampleur. L'« Affaire du siècle » en est une nette illustration : quatre associations soutenues par deux millions de citoyens ont attaqué l'État français pour motif d'inaction climatique[43]. Et la justice leur a donné raison car l'État a récemment été condamné. Ce nouveau risque juridique pourrait par exemple prendre la forme de nouvelles réglementations ou taxes écologiques à l'initiative de l'État, et peser lourdement sur le bilan des entreprises.

La montée en puissance de l'ESG

Je me suis réjoui lorsque j'ai découvert un matin l'initiative portée par le Government Pension Fund Norway, le plus gros fonds souverain du monde, basé en Norvège. Ce fonds, qui a investi plus de mille cents milliards de dollars dans plus de neuf mille deux cents entreprises, exige de leur part un plan détaillant leur stratégie de transition vers une économie à faible émission de carbone. Il a par ailleurs exclu trois entreprises de son portefeuille pour violation des droits de l'homme[44]. À l'échelle étatique, les accords de Paris de 2015 visant à limiter le réchauffement climatique à un niveau inférieur à deux degrés Celsius vont dans le même sens. Pour les États comme pour les entreprises, l'ESG n'est plus une option.

Les temps changent, donc. Et, ces dernières années, cela se lit dans l'intérêt affiché par de nombreuses structures pour leur responsabilité sociale et environnementale (RSE). Je suis de ceux qui ne pensent pas qu'il s'agit simplement d'un « coup de com » orchestré par des industries désireuses de se racheter une image, mais que ce nouvel engouement est une lame de fond qui promet de transformer le système de fond en comble.

D'ailleurs, depuis la crise du Covid-19, le nombre de requêtes lancées sur Google pour l'acronyme ESG – autrement dit pour connaître les critères utilisés pour produire cette analyse extra-financière des entreprises – n'a jamais été aussi élevé. Le nombre de requêtes moyen a ainsi quadruplé ces quinze dernières années[45] ! La crise sanitaire n'est certes pas étrangère à cet intérêt exponentiel. Il semble que les entreprises aient changé leur manière de se définir, passant de la logique de cases à cocher dans un objectif de communication et de marketing à la volonté de se forger une identité engagée. Toutes gagneraient d'ailleurs à redéfinir leur mission, leurs valeurs et leurs stratégies autour d'une raison d'être. Objectif de cette réflexion : valoriser chacune des parties de leur chaîne de production, y compris les environnements dans lesquels elles évoluent – les communautés locales en particulier, et la planète en général. Objectivement, cette stratégie paye: selon une étude publiée par le *Journal of Sustainable Finance & Investment*, deux tiers des deux mille travaux de recherche académique sur la relation entre la politique ESG d'une entreprise et la performance de ses actions en Bourse indiquent une corrélation positive[46].

La crise du Covid-19 aura en tout cas manifesté l'urgence de transformer le modèle. C'est en effet, par exemple, à l'occasion d'une violation du confinement qu'a été découvert l'esclavagisme moderne pratiqué par la marque Boohoo. Une révélation qui a conduit la plateforme d'e-commerce ASOS, qui commercialisait la marque, à faire signer à tous ses prestataires un «engagement de transparence» les obligeant à publier et mettre à jour régulièrement le détail de leur chaîne d'approvisionnement. La société de livraison à domicile Just Eat a aussi annoncé en août 2020 son intention de cesser d'employer des free-lance en Europe et de les salarier, ceci afin d'équilibrer davantage leur vie professionnelle et leur vie privée, et de leur permettre de bénéficier de congés payés et d'une meilleure protection sociale.

Le cabinet McKinsey affirme par ailleurs que cette recherche de l'«impact positif» aurait des retombées commerciales à différents niveaux[47]. Développer des produits durables permet à l'entreprise d'attirer de nouveaux clients et d'accroître son chiffre d'affaires. Réduire la consommation d'énergie ou d'eau peut représenter également une économie conséquente sur le budget. Le changement est attractif quand, pour fabriquer un seul jean, sept à dix mille litres d'eau[48] sont nécessaires... soit l'équivalent de deux cent quatre-vingt-cinq douches! Intégrer les pratiques d'ESG dans son entreprise permettrait également d'alléger la pression réglementaire et le risque d'intervention défavorable du gouvernement, voire de provoquer l'octroi d'aides publiques. Une politique ESG forte aide enfin les entreprises à attirer et retenir des talents, à renforcer la motivation en définissant un objectif clair et à augmenter ainsi la productivité générale des équipes. Retenus comme base d'évaluation par les conseils d'administration, les critères ESG permettent ainsi de mener une stratégie d'investissement menant à des opportunités prometteuses et durables.

Les géants aux pieds d'argile

À l'opposé de ce courant, on peut cependant admirer le succès fulgurant d'Amazon, dont le modèle se résume à « vendre toujours plus à plus de monde ». Comme le souligne Pascal Demurger, directeur général de la MAIF, Amazon a construit en quelques années un modèle très lucratif mais bien précaire, car il ne sert que son actionnariat. Amazon ne porte aucune raison d'être, aucune valeur, aucune mission autre que celle d'encourager la surconsommation, de croître jusqu'à atteindre le monopole mondial, de rechercher insatiablement le pouvoir, et par tous les moyens. Ce qu'illustre d'ailleurs parfaitement le concept de *Black Friday*. Amazon n'a pas compris qu'un grand pouvoir implique de grandes responsabilités. Dépourvue de raison d'être, et défrayant souvent la chronique pour ses pratiques RH scandaleuses, l'entreprise a déjà scellé un avenir semé d'embûches[49].Comme l'écrit Pascal Demurger, « on peut certes conquérir le monde en n'étant mû que par l'hybris, mais on ne peut pas maintenir un empire sans susciter l'adhésion, sans fédérer autour d'un récit commun, d'une vision partagée. Au faîte de sa puissance, Amazon est déjà un géant aux pieds d'argile. »

Notre mission, et particulièrement celle des entrepreneurs, des dirigeants et des investisseurs, consiste à réviser et améliorer un système qui a libéré l'initiative humaine, le libéralisme. Comment ? En lui octroyant une mission : contribuer réellement au développement des peuples en protégeant la planète. Il y a de nos jours convergence de deux mondes, conjonction entre la raison d'être au cœur du monde associatif et le pouvoir d'action des entreprises et de ses investisseurs. Cette convergence s'apparente selon moi à la relation entre le squelette, la raison d'être, et les muscles, l'argent de la finance et des entreprises. L'un ne peut se mouvoir sans les autres. Et mon début d'expérience dans la finance, mes deux aventures entrepreneuriales et les mois passés au service de ces incroyables associations à l'étranger m'ont fait entrevoir cette vérité : pour assurer leur pérennité, les entreprises de demain devront se réinventer selon des modèles hybrides qui marient l'impact et la performance économique.

« Human is Capital »

L'une des clés d'amélioration du secteur financier se trouve à mon sens dans le fait de récompenser l'actionnariat à long terme. On pourrait pour cela mobiliser des motifs d'ordre idéologique ou fiscal. L'idée générale : valoriser la raison d'être de l'entreprise pour que sa finalité ne s'épuise pas dans la recherche du seul profit, bien qu'il reste un moyen indispensable au service d'une fin sociale. En d'autres termes, il faut qu'une entreprise soit rentable, mais la maximisation du profit ne doit pas être son objectif ultime. Pour sevrer nos économies des actionnariats spéculatifs, ne faudrait-il pas dès lors plafonner la fraction de capital maximal détenue par les fonds communs de placement ? Ces derniers ont des exigences de rendement disproportionnées, totalement déconnectées de la réalité économique. Une liste de critères normatifs pourrait être proposée par les autorités de régulation pour encadrer ces fonds spéculatifs. Le montant cumulé investi par ces fonds ne pourrait par exemple pas dépasser le montant minimum d'actions nécessaires pour influencer la gouvernance des entreprises sponsorisées. L'actionnariat spéculatif a vidé le capitalisme de sa substance initiale. Il faudrait encourager fiscalement un actionnariat de long terme et entrepreneurial en encourageant par exemple l'actionnariat des salariés de l'entreprise, comme institué chez Décathlon. L'État pourrait aussi récompenser les investisseurs respectant ce système sur la durée tout en pénalisant fiscalement les fonds spéculatifs en taxant lourdement les transactions financières agressives.

Quant à la dette privée, comme les banques ont la possibilité de titriser[50] leurs créances, elles se déresponsabilisent et prêtent de l'argent à des projets très rémunérateurs à court terme sans faire grand cas de leur réalité économique sur le long et moyen terme. Si cet usage des créances reste associé dans les esprits à la crise des *subprimes*, il n'en reste pas moins une manne financière importante, en particulier pour les PME et les jeunes entreprises. Aujourd'hui, pour responsabiliser les banques, les institutions européennes souhaiteraient les contraindre à se porter garantes de la qualité de leurs produits financiers. Pour cela, il faudrait que les établissements bancaires se conforment à un standard de titrisation commun et qu'elles maintiennent *a minima* dans leur propre bilan[51] 5 % de ces créances titrisées. Ce premier pas est intéressant mais reste insuffisant pour nombre d'observateurs, puisque le pourcentage fixé est trop faible pour les inciter à financer sur le long terme des entreprises créatrices de valeur ajoutée.

Pour plus de transparence, il serait bon de rendre public annuellement les dix salaires les plus hauts et les dix salaires les plus bas d'une entreprise, en incluant dans le calcul toutes les formes de rémunération (stock-options, avantages en nature, etc.).

Pour ma part, j'ai bon espoir que les choses changent et que les mentalités évoluent. D'ailleurs, le mantra *Human is capital* (« c'est l'humain, le capital ») a déjà remplacé le très emblématique *Cash is King*. Parce qu'on sait désormais que la résilience, la solidité d'une entreprise se mesure non pas par des constructions financières complexes et fragiles, mais plutôt par la force des personnes qui y travaillent et se mettent au service d'une cause juste. C'est un fait, en tout cas : le modèle sur lequel s'appuie une partie de la finance de marché présente des limites de plus en plus visibles au grand public comme aux professionnels. Dans ce contexte, il est crucial de revenir aux origines de la finance et de se rappeler les avancées spectaculaires qu'elle a permis de réaliser dans tous les domaines. Car, utilisée à bon escient, elle peut encore réellement changer la face du monde !

Partie II

Ce que je crois

Après avoir exploré l'univers des ONG, de l'entreprise et de la finance, évaluons les garde-fous de notre société, qui ont les moyens d'influencer et d'accélérer l'actuelle transition sociale et environnementale. Ces remparts, de nature économique, politique ou législative, ont, comme j'en ai fait l'expérience, un impact majeur sur l'évolution du monde. J'ai en effet repris mon baluchon pour essayer de comprendre les rouages de la vie politique – non pas à la manière d'un homme politique, mais en tant que citoyen engagé d'abord, et acteur financier ensuite. C'est à travers ces deux prismes que je partage avec vous ici le fruit de mes explorations.

Une société de confiance est seule garante de prospérité

Ce constat a été mon point de départ. À son origine se trouve la question que nous pourrions tous nous poser : comment atteindre la prospérité ? Autrement dit, comment expliquer la richesse ? Lorsque Kenneth Arrow a reçu le prix Nobel d'économie en 1972, il a surpris beaucoup d'économistes en ne mentionnant aucun facteur économique traditionnel pour expliquer la prospérité, mais uniquement la confiance : « Virtuellement tout échange commercial contient une part de confiance, comme toute transaction qui s'inscrit dans la durée. On peut vraisemblablement soutenir qu'une grande part du retard de développement économique d'une société est due à l'absence de confiance réciproque entre ses citoyens. »

À sa suite, de nombreux chercheurs ont repris ce postulat et ont démontré l'existence de corrélations entre le niveau de confiance entre les citoyens d'une nation d'une part, et la performance des institutions[52] (Putnam 1993, Newton 1999b, Woolcook 2001), la croissance économique[53] (Knack et Keefer 1997, Zak et Knack 2001) la stabilité démocratique[54] (Inglehart 1999), l'optimisme[55] (Uslaner 2002) et le bonheur individuel[56] (Helliwell et Wang 2002) d'autre part. Ainsi, la prospérité d'une société reposerait essentiellement selon eux sur la confiance entre les individus qui la composent. Cette nouvelle base de contrat social garantirait non seulement une vie sociale apaisée, mais aussi une vie économique communément prospère. Dans cette perspective, quels sont alors les fondements de cette confiance ? Comment la susciter entre les membres d'une même nation ?

Bo Rothstein et Dietlind Stolle, deux brillants chercheurs, ont rappelé en 2007 ce que l'on sait tous à des degrés divers : la confiance mutuelle entre citoyens ne peut exister indépendamment de la politique ou du gouvernement qui régit la nation[57]. La capacité des citoyens à développer des liens de coopération et à établir un régime de confiance sociale est fortement dépendante de l'efficacité des institutions et des politiques gouvernementales. Un État stable, qui peut compter sur des institutions sociales efficaces, donne ainsi l'opportunité au gouvernement de promouvoir sans risque des politiques justes et pondérées, et d'encourager l'instauration d'une « société de confiance ».

Aujourd'hui, les Français manquent de confiance dans l'État

Comment expliquer alors la défiance des Français envers le pouvoir public, alors que l'État en France est un symbole d'apparente stabilité ? Il suffit d'allumer sa télévision pour s'en rendre compte. La proportion de nos concitoyens se disant méfiants ou *très* méfiants envers les institutions et les gouvernants parle d'elle-même : elle s'établit à 70 %[58] ! Dans d'autres pays d'Europe, au Danemark et en Suède notamment, les populations font elles très majoritairement confiance à leurs institutions et à leurs gouvernants.

Ces chiffres ne sont pourtant pas surprenants puisque, depuis plus de vingt ans, tous les indicateurs confirment que les Français se méfient autant des pouvoirs publics que de leurs concitoyens. Et cette défiance n'a cessé de progresser à mesure que se multiplient les incivilités, plus nombreuses que dans d'autres pays occidentaux. Une partie de ce manque de confiance général trouve également sa source dans l'aversion profonde manifestée à l'égard de ceux qui « profitent du système » par des pratiques fiscales frauduleuses ou en touchant des aides sociales indues. Ainsi s'étiole la confiance collective. Et pourtant... il suffirait de peu pour traiter les racines de cette défiance.

En guise d'illustration, une expérience d'envergure a été lancée en 1995 aux États-Unis, dans l'État du Minnesota, pour lutter contre la fraude fiscale[59]. Deux lettres types différentes ont été envoyées à plus de quarante-sept mille contribuables. Répartis en deux groupes, ils ont chacun reçu une seule de ces lettres. La première précisait que les taxes imposées par l'État serviraient à financer des services dont bénéficient les habitants du Minnesota, avec 30 % alloués à l'éducation, 18 % à la santé, 12 % aux services comme la justice, l'entretien des parcs, les bibliothèques, etc. Tout en spécifiant que les contribuables qui ne paieraient pas sanctionneraient du coup l'ensemble de la communauté. La seconde lettre, en revanche, était formulée ainsi : « Selon une récente enquête d'opinion, de nombreux habitants du Minnesota croient que les fraudes fiscales sont fréquentes. Cependant, cette croyance est erronée. Les audits réalisés par les services des impôts montrent que les personnes qui déclarent leurs impôts le font correctement et acquittent volontairement 93 % des taxes dont elles relèvent. La plupart des contribuables remplissent leur déclaration correctement et aux dates exigées. Bien que quelques-uns commettent des erreurs mineures, un petit nombre triche délibérément et est responsable de l'essentiel des taxes non payées. »

En comparant les revenus déclarés par chacun des deux groupes, les chercheurs ont pu constater l'effet fortement positif de la seconde lettre insistant sur la responsabilité des citoyens. Un résultat qui illustre que les attitudes civiques sont largement influencées par le comportement d'autrui : les contribuables payent d'autant plus volontiers leurs impôts qu'ils pensent que leurs concitoyens agissent de même. C'est ainsi que s'instaure véritablement une « société de confiance » qui donne aux institutions les moyens d'agir, à commencer par de l'argent pour remplir ses missions.

Cette confiance est d'autant plus faible en France que nous sommes habitués depuis près d'un siècle et demi à ce que l'État prenne en charge, en plus de ses fonctions régaliennes, d'autres missions liées à son rôle d'État-providence. À travers les premières, l'État est le garant du contrat social : il a pour devoir d'assurer la sécurité de tous, comme le théorisent les penseurs de la modernité politique, de Jean-Jacques Rousseau à Benjamin Constant. L'État régalien est ainsi en théorie à la fois le dépositaire de la souveraineté nationale, l'instrument du pouvoir politique et l'incarnation de l'intérêt général. C'est pour ces raisons que les Français lui délèguent la fonction d'édicter les règles du droit, de les faire respecter et de garantir la sécurité et la défense du pays. Mais, en France, l'État assume également cette seconde mission qui fait de lui un État-providence. Il intervient dans les domaines sociaux et économiques en vue d'assurer dans les faits « l'égalité des conditions », selon Alexis de Tocqueville le préalable à toute société démocratique. Aujourd'hui, son action se concrétise par l'attribution d'aides et de prestations sociales. Les citoyens exigent donc de l'État qu'il agisse sur des fronts variés : promotion de l'écologie, égalité d'accès à la santé, à l'instruction de la jeunesse, à l'entrepreneuriat, à l'insertion sociale par l'emploi, etc.

Certaines promesses non tenues de l'État-providence peuvent expliquer en partie l'attitude des Français à l'égard des institutions. C'est pourtant ce même « État social » qui a permis de grandes avancées dans les champs des droits, de la justice, de la sécurité et de la tolérance en osant des réformes que le monde entier a commentées, sinon dupliquées : mise en place des congés payés, droit de se syndiquer librement, instauration du régime de retraite, salaire minimum interprofessionnel, formation professionnelle, mise en place de l'ISF ou de la couverture maladie universelle... Tous ces acquis, dont nous bénéficions au quotidien, découlent de ce rôle particulier qu'endosse l'État en France, et de son actualisation permanente.

Entre la fin de la Seconde Guerre mondiale et les années 1980, la France a voté et entériné des réformes sociales de fond comme la création du régime universel de la Sécurité sociale dès 1946 et de la quatrième semaine de congés payés en 1963, la création de l'ANPE en 1967 et du SMIC en 1970. Pourtant, l'État-providence semble depuis se cantonner à des reconnaissances de droits exclusivement déclamatoires ou à des réformes minimalistes. Un ancien maire étiqueté Les Républicains me faisait d'ailleurs remarquer que la politique des grandes réformes avait laissé la place à une politique de gestion et d'administration où des « réformes paramétriques » donnaient lieu à des ajustements «d'un petit pourcentage de plus ou de moins». Ce qui a souvent laissé de nombreux citoyens dans l'amertume et la désillusion sur le statut que s'est attribué la France de pays des Droits de l'Homme et de l'égalité des chances. À l'échelle de sa mairie, cet élu avait surtout l'impression de passer son temps à se battre contre l'administration, la bureaucratie et la lenteur d'un système à bout de souffle qui peine à accompagner les changements de notre époque.

Comment restaurer la confiance en France ?

Pour stimuler la confiance, il nous faut d'abord désamorcer la défiance. Lorsque j'habitais encore près de Lille, je me souviens d'une période où une bande de jeunes sévissait dans notre rue en dévalisant les voitures pendant la nuit. Un soir, ils ont jeté leur dévolu sur la voiture de ma mère. Par chance, Nicolas, l'un de mes meilleurs amis et voisin, était justement sorti fumer et les a pris sur le fait. La police a réussi à les prendre en flagrant délit. Par la suite, ma mère a surtout voulu que le jugement permette aux délinquants de prendre conscience de leur erreur, selon la sagesse populaire qui veut que «qui vole un œuf, vole un bœuf». Le jugement a finalement été rendu : ils ont dû, pour toute peine, rembourser le GPS de ma mère. Ce qui ne s'est jamais produit... Ni la police ni la justice n'ayant la charge de l'exécution de la peine, ma mère aurait dû aller chercher elle-même le remboursement auprès des jeunes. Le recours à un huissier lui aurait coûté trois fois le prix de l'appareil. Ces jeunes délinquants ont donc pu continuer à vivre dans un sentiment d'impunité, en miroir de l'impuissance ressentie par les victimes de leurs délits. Que sont-ils devenus ? Ont-ils tiré leçon de ce jugement sans conséquence pour eux ? Peu probable...

Ce fait divers m'inspire quelques réflexions sur les institutions les plus proches du citoyen que sont la police et la justice. Elles exercent une influence décisive sur la fabrique de l'opinion qu'ils se font de l'État, et sur la confiance qu'ils lui porteront. Car ceux qui servent ces institutions sont en contact direct avec les citoyens, et sont aussi censés incarner les grands principes de l'État de droit que sont l'impartialité, l'équité et la préservation de l'ordre public. Et leur mission s'avère tout aussi ardue que cruciale : identifier et punir ceux qui rompent le contrat social – du petit délit mineur à la grande criminalité, en passant par ceux qui offrent ou acceptent des pots-de-vin, qui se livrent à des opérations clientélistes ou plus généralement qui portent atteinte à autrui. Ainsi, le degré de confiance que les citoyens se portent mutuellement et qu'ils octroient à l'État se développe à mesure que ces deux institutions remplissent leur mission de manière juste et efficace. En bref, si les citoyens sont convaincus que la justice est juste et la police efficace, alors une société de confiance a réellement des chances d'advenir. Ce qui revient à dire que, avant toute chose, restaurer la confiance entre les citoyens et ces institutions publiques de proximité est indispensable.

Malheureusement, ce ne sont pas les critiques qui manquent en France à l'endroit des institutions policière et judiciaire – critiques portant souvent sur des manquements et violences avérés d'une part, et des lenteurs administratives de l'autre. Avant toute chose, deux précisions. D'une part toute violence illégale est naturellement injustifiable mais doit être dénoncée honnêtement d'un côté de la barricade comme de l'autre. D'autre part, la plupart des policiers et gendarmes exercent leur métier au quotidien avec courage et intégrité malgré les agressions en forte hausse à leur encontre. Ceci dit, je pense qu'il faut être très prudent et nuancé en la matière : nous sommes d'autant plus choqués par les malversations et manquements observés chez les membres de ces institutions qu'on attend de ceux qui représentent l'État dans ses fonctions régaliennes une exemplarité totale. Mon voisin Nicolas, surnommé par mes soins «le héros» après son intervention au secours de la voiture de ma mère, est devenu depuis policier dans les cités du nord de Paris. Dans le cadre de sa mission de maintien de l'ordre, il m'a déjà confié avoir craint pour sa vie – notamment lorsqu'avec trois de ses collègues il a dû faire face à une bande d'une quarantaine d'individus menaçants armés de briques. Je plaide pour abandonner les discours manichéens sur la police et la justice, tout en encourageant évidemment l'encadrement de leur activité pour rendre encore plus explicite leur mission de service public. Les scandales liés à l'usage abusif du LBD dans les manifestations, par exemple, ne devraient pas suffire à légitimer des postures idéologiques délétères qui participent au délitement de la société et à l'augmentation du sentiment d'insécurité.

Au sujet de notre rapport plus général aux institutions étatiques, la confiance dépend en premier chef de la certitude que tous les citoyens bénéficient d'un traitement égal devant la loi. Il me semble naturel, dans la société dans laquelle nous vivons, que personne ne souhaite rogner des avantages sociaux qui semblent acquis à jamais. Mais est-il pour autant acceptable que deux personnes ayant travaillé le même nombre d'années, dans des métiers similaires, bénéficient de retraites très différentes ? C'est pourtant monnaie courante dans l'Hexagone puisqu'on compte trente-sept régimes de retraite différents dont quinze régimes spéciaux, parmi lesquels ceux de la SNCF, de la fonction publique territoriale ou de la Banque de France sont les plus spectaculaires. Ainsi, ce modèle suscite la défiance et encourage l'incivisme, et en particulier la «délinquance en col blanc» qu'il s'agirait d'éradiquer. Ce corporatisme qui consiste à octroyer des droits sociaux associés au statut et à la profession entérine la fragmentation du corps social. Il crée un enchevêtrement de traitements de faveur et encourage la recherche de rentes, qui se traduit principalement dans l'inégalité des prestations sociales, depuis les régimes de retraite jusqu'à l'assurance maladie.

A contrario, dans le modèle social-démocrate que l'on retrouve le plus généralement dans les pays du nord de l'Europe comme au Danemark ou en Suède, une part substantielle des richesses est redistribuée sur la base de principes apparemment plus justes et plus égalitaires. Si les dépenses sociales sont identiques, voire plus élevées, qu'en France, l'organisation de la solidarité est très différente. En théorie, le principe d'universalité signifie que les transferts publics sont ouverts à tous, indépendamment des revenus. Dans ce contexte, les cotisations sociales servent à financer des services publics ouverts à tous les citoyens, sans discrimination fondée sur le revenu ou tout autre critère, ce qui se distingue du mode de financement par cotisations. Par conséquent, les pays qui ont adopté le modèle social-démocrate sont aussi ceux où les prélèvements obligatoires sont les plus élevés. Et pourtant, d'après les travaux déjà évoqués de Bo Rothstein et Dietlind Stolle, ce type de régime encourage la confiance parce qu'il nivelle les inégalités tout en affermissant le sentiment d'appartenir à une même communauté d'intérêts.

Le second avantage de cette logique réside dans sa transparence et sa clarté. En logeant tout le monde à la même enseigne, la logique universaliste favorise la transparence de la redistribution. *A contrario*, dans une logique corporatiste, chaque profession défend ses intérêts propres dans un système dont la complexité rend difficile la connaissance précise des acquis des autres.

Comment restaurer la confiance populaire envers les élus et les gouvernants ?

Pouvons-nous faire raisonnablement confiance aux promesses de candidats à une élection, et de manière générale aux hauts dignitaires du pouvoir public? Cette question est à mon avis légitime, ne serait-ce qu'à cause des scandales à répétition, abus de bien sociaux ou détournements de fonds publics qui défraient régulièrement la chronique. Il suffit de se rappeler Jérôme Cahuzac, alors ministre du Budget, déclarant avec des trémolos dans la voix devant les médias et à l'Assemblée nationale: «Je n'ai pas, je n'ai jamais eu de compte à l'étranger. Ni maintenant, ni avant!» ... avant d'être condamné pour fraude fiscale. Ou bien François Fillon, auquel avaient été offerts en 2017 des costumes d'une valeur totale de cinquante mille euros. Rappelons à ce sujet que la règle oblige tout candidat à refuser tout cadeau d'une valeur supérieure à cent cinquante euros. Quelques jours plus tard, *Le Canard enchaîné* révélait l'emploi fictif présumé de son épouse... Alors, tous pourris?

C'est en tout cas le sentiment latent qui domine en France. D'après la World Value Survey, 86 % des Français n'ont «pas confiance» ou «pas du tout confiance» en leurs élus[60], tous partis confondus. Nos concitoyens semblent avoir le sentiment qu'une fois le bulletin de vote déposé dans l'urne, les élus ne se manifestent plus et que leurs promesses ne sont pas mises en œuvre. D'après l'Insee, 7 % des Français en âge de voter ne sont pas inscrits sur les listes électorales[61]. En ajoutant les personnes non inscrites à celles qui se sont abstenues lors de l'élection présidentielle de 2017, on obtient un taux de participation de 72 %. Ce taux chute à 59 % lors des élections municipales de 2014, et à 47 % lors des élections européennes de 2019. Ces chiffres témoignent d'un réel et inquiétant désintérêt des Français pour ce qui devrait être, en théorie, l'accomplissement de la vie démocratique.

N'a pourtant pas encore été évoquée la tension permanente qui traverse la Cité: tension entre les pauvres et les riches, tension entre la soif de reconnaissance et la soif de liberté, tension entre des injonctions sociales contradictoires, etc.

Le gouvernement arbitre continuellement entre plusieurs « urgences » d'ordre écologique, économique ou social. Et les élus jouent un rôle de premier ordre dans ces décisions qui forgent l'avenir de notre pays. Beaucoup d'entre eux, qui auraient pu réaliser de prestigieuses carrières dans le privé, ont préféré s'engager dans des environnements difficiles, sans garanties à long terme, pour peser sur ces arbitrages et infléchir la trajectoire nationale.

Entrer dans les hautes sphères de la politique et du pouvoir, c'est aussi accepter d'être livré en pâture aux médias. À l'occasion d'une improbable pizza partagée dans un parc parisien avec Najat Vallaud-Belkacem, l'ancienne ministre de l'Éducation m'a décrit la différence de traitement entre une personnalité politique et une rock star. Alors que les médias se montrent plutôt bienveillants envers ces dernières, ils accablent souvent les hommes et femmes politiques et cherchent par tous les moyens à dénicher l'information sensationnelle qui créera le scoop. Sans parler de voir sa vie privée décortiquée. Elle m'a raconté qu'elle ne pouvait notamment plus emmener ses enfants se balader sans que plusieurs dizaines de personnes se mettent à l'invectiver en public. Faire partie d'un gouvernement, c'est aussi accepter l'étiquette que l'on vous colle sur le front, se montrer solidaire et donc responsable de décisions que vous n'avez pas prises. La vie d'un de ces dirigeants est ainsi comparable à celle d'un équilibriste : se garder des médias et des sondages pour se protéger, tout en continuant à les écouter pour ne pas s'enfermer dans une tour d'ivoire. La surmédiatisation de certains sujets les obligeant par ailleurs à passer un temps incalculable à justifier et commenter leurs actions au lieu de se consacrer aux réformes que l'on attend d'eux.

D'autres difficultés rendent l'exercice du pouvoir politique particulièrement difficile. Ces tensions, Kamala Harris les connaît très bien, elle qui a remporté une victoire historique en devenant la première femme d'origine afro et asio-américaine élue à la vice-présidence des États-Unis. Née de parents immigrés, Kamala Harris s'est notamment engagée à pulvériser le plafond de verre qui empêche, à cause de leur sexe ou de leur couleur de peau, l'accès à des postes importants aux personnes de talent. Par contre, comme toutes les personnes qui exercent des responsabilités en politique, Kamala Harris s'est elle aussi confrontée aux ambiguïtés du pouvoir et à la pratique du « moindre mal ». Tant pour se frayer un chemin dans les arcanes des hautes sphères que pour éviter les chausse-trappes qui ont mis ses engagements à l'épreuve.

Enfin, ses responsabilités l'ont également obligée à limiter son action militante. Par exemple, lors de ses deux mandats en tant que procureure générale de Californie, elle a négocié une allocation de vingt-cinq milliards de dollars pour les propriétaires immobiliers californiens ayant vu leurs biens saisis à cause de la crise économique, ou encore traîné en justice des gangs internationaux. On lui a pourtant reproché de manquer de clarté en partant du principe qu'en tant que « femme de couleur » elle était nécessairement prise en tenaille entre les luttes identitaires et son rôle de représentante de l'État. Même procès d'intention lorsque la foule réclamait la tête de « policiers tueurs » après des émeutes : elle a créé une base de données publique grâce à laquelle il était possible de suivre les enquêtes sur les violences policières. Kamala Harris n'a par ailleurs jamais cédé à la soif de vengeance qui animait les familles de victimes. Comme toutes les personnes engagées dans la vie publique, elle a sans cesse dû affronter les contradictions entre l'exercice du pouvoir, les attentes propres à son électorat et ses ambitions de carrière. Ce même sentiment, je l'ai perçu chez un député du Sud-Ouest qui m'avait avoué qu'il devait sans cesse jongler entre la ligne de son parti, les promesses de campagne et sa propre évolution future – qui dépendait également des deux premiers facteurs.

Une fois élu, a-t-on vraiment les coudées franches?

Parmi les écueils qui émaillent la vie politique, il faut enfin mentionner les échéances électorales. Elles rythment la vie politique mais également celle des entreprises, obligeant chaque candidat à ménager la chèvre et le chou et à se tenir sans cesse sur une ligne de crête.

Un jour, à l'occasion d'un déjeuner en tête-à-tête en haut d'une des tours de La Défense, j'ai rencontré l'un des directeurs généraux délégués de la Société Générale. Au fil de notre discussion, j'ai compris qu'à son échelle il cherchait à contribuer à la transition sociale et environnementale de la banque. Il m'a fait part de ses difficultés à concilier dans sa mission des intérêts antagonistes, sommé d'un côté par les partisans de Greta Thunberg de changer radicalement les pratiques traditionnelles de la banque et, de l'autre, de maintenir l'activité historique et le passif de la société responsable de cent cinquante mille emplois. Il lui fallait donc tenir une ligne faite de compromis, afin de conjuguer des objectifs ambitieux à une optique réaliste.

Or, de son point de vue, l'un des freins majeurs à la transition écologique était les échéances électorales. En 2019, il avait bataillé dur avec ses équipes pour pousser la banque à se désengager des activités liées au charbon. Il s'agissait d'arrêter de prêter de l'argent et de fournir des services aux entreprises dont l'activité était impliquée à plus de 50 % dans le charbon thermique, et aux entreprises qui ne présentaient aucune stratégie crédible pour réduire leur activité dans le secteur d'ici 2025. À cette annonce, le gouvernement indonésien, l'un de leurs bénéficiaires, s'était insurgé. Le président sortant avait en effet promis à ses électeurs un meilleur accès à l'électricité dans les cinq ans grâce au développement de nouvelles centrales à charbon, un projet clé pour assurer sa réélection. Ainsi, dans le bon comme dans le mauvais sens, les élus peuvent exercer une influence considérable sur la transition énergétique. Mais les échéances politiques imposent un calendrier très court, à mille lieux d'une vision stratégique à trente ans. En l'occurrence, le directeur général délégué avait tenu bon et expliqué au ministre en charge du projet pourquoi la banque ne financerait plus leurs centrales à charbon.

Alors, malgré tous ces écueils, est-il encore possible de réconcilier les Français avec leurs élus ? Et comment procéder ? Au long de cette réflexion sur le rôle du politique, l'évidence a été démontrée qu'une société de confiance ne pourrait advenir qu'à la seule condition que les citoyens considèrent les institutions de l'État et leurs élus comme dignes de confiance.

À cet égard, il est essentiel que soient votées des lois destinées à « moraliser la vie publique », un tournant pris par les gouvernements en France depuis une dizaine d'années et obligeant désormais les hauts responsables publics à déclarer leur patrimoine ou toute autre activité, salariée ou non. Ce mouvement, certes louable, doit pourtant pour être efficace s'accompagner d'une proximité renouvelée entre représentants et représentés. Dans cette optique, le projet de réforme intitulé « Pour la confiance dans l'institution judiciaire » et défendu par le garde des Sceaux Éric Dupond-Moretti proposait de filmer les audiences à des fins pédagogiques. L'idée étant de permettre aux citoyens qui le souhaitent d'accéder virtuellement à la salle où se déroulent les procès. La réconciliation des représentants et des représentés passe d'abord par l'explication humble et patiente de l'esprit de la loi, et par la mise en place d'une véritable pédagogie autour de l'action ministérielle. Ainsi, les Français pourraient mieux visualiser à quoi sert l'impôt et de quelle manière sont engagées de nouvelles actions publiques d'investissement dans les hôpitaux, de soutien aux start-up, de démocratisation de l'accès au haut débit ou à la fibre optique, etc. Cette attitude seule, alliée à une culture délibérée de la transparence, pourrait réconcilier les Français avec leurs élus. Complétée par la certitude que les tricheurs, dans l'administration comme au gouvernement, soient sévèrement punis. Il ne peut exister aucun passe-droit.

Pour raviver la confiance entre gouvernants et gouvernés, il est un autre atout de taille que l'on néglige souvent: c'est l'élu local. En effet, quand on n'évolue pas en politique et qu'on habite en ville, on a souvent tendance à réduire les élus aux seuls membres des organes centralisés, président et parlementaires. Alors qu'en réalité, ils ne représentent qu'une infime fraction de la classe politique. On dénombre ainsi aujourd'hui environ trente-cinq mille maires en France, sans parler des centaines de milliers de conseillers municipaux. Afin de prendre la mesure des enjeux et du pouvoir d'impact de la politique locale, j'ai rencontré le maire d'un petit village de neuf cents habitants, Enguerrand Delannoy, étiqueté à droite. Idéaliste, il a toujours voulu devenir député, pensant qu'être maire lui «casserait les pieds». Quelques années plus tard, après avoir été élu dans sa commune, il a changé d'avis. En effet, il a fait l'expérience qu'à l'échelle d'un village ou d'une ville, on peut faire bouger les choses: aménager l'espace, stimuler l'emploi, améliorer le confort de vie des habitants. Sur une période de trente à quarante ans, le résultat est très visible: si les maires se mobilisent pour leur commune, elle peut réellement changer de visage!

Le rôle du maire est avant tout basé sur la proximité. Un habitant du village lui avait dit un jour: «C'est marrant car, depuis que tu es maire, le village s'est apaisé.» Au niveau local, les étiquettes politiques existent, mais elles sont moins marquées. Enguerrand se souvient de la remarque du kiné du coin en sortant du bureau de vote: «Enguerrand, tu fais chier! Pour la deuxième fois de ma vie, à cause de toi, j'ai voté à droite!» En guise d'illustration de son rôle de maire, il m'avait raconté une anecdote. Le boulanger partant à la retraite, un repreneur s'était manifesté mais ne voulait pas payer le fonds de commerce. Enguerrand avait alors joué un rôle de facilitateur en poussant le nouveau venu à payer les vingt mille euros du fonds de commerce, tout en l'aidant activement à obtenir un prêt bancaire. Il avait ensuite convaincu le conseil municipal de transférer l'emplacement de la boulangerie vers un autre local situé au centre du village. Et de participer à l'achat d'un nouveau four, une dépense inaccessible au nouveau boulanger. C'est par ce genre d'actions désintéressées au service de la communauté que les élus de proximité contribuent à restaurer la confiance.

Malgré ces personnalités de terrain, la classe politique demeure pourtant suspecte aux yeux des Français. Au registre de l'évidence, ceux qui trichent sont loin de représenter la majorité des élus. Car un grand nombre s'est engagé avant tout pour défendre des convictions et par esprit de service. Comme l'avait formulé Najat Vallaud-Belkacem, la politique est l'art d'essayer d'agir « de l'intérieur ». Une vocation qui s'apparente à un véritable sacerdoce quand on sait qu'Enguerrand était dédommagé à raison de huit cents euros nets par mois pour des centaines d'heures passées, de jour comme de nuit, à se démener pour sa commune.

Alors, malgré l'actuelle méfiance des Français pour leurs représentants, reconnaissons honnêtement le rôle crucial des élus de proximité. C'est sans doute par eux que les mentalités changeront et qu'un nouveau « contrat de confiance » pourra être établi.

En parlant de politique, je ne résiste pas à l'occasion de vous raconter ma rencontre avec un ancien chef d'État britannique, à Londres. Ayant prévu d'autres entrevues la même journée, je me suis fait une frayeur à la fin de l'une d'elles : le fameux rendez-vous devait débuter quinze minutes plus tard... alors que je me trouvais à quarante minutes à pied du point de rencontre convenu. En costume et chaussures en cuir, j'ai couru comme un dératé dans les rues de la capitale anglaise pour découvrir, une fois arrivé là-bas, que j'avais tellement transpiré que les contours de mon costume s'étaient imprimés sur ma chemise. Hop, j'ai passé les vingt minutes suivantes dans les toilettes à essayer de sécher mes vêtements avec du papier toilette. J'avais en fait... une heure d'avance, heure anglaise, bien sûr !

Plus sérieusement, ce qui m'a frappé lors de cet entretien, c'est le pouvoir d'influence de cet ancien chef d'État qui, bien après la fin de son mandat, cultivait des liens étroits avec les grands du monde entier. Car le pouvoir ouvre l'accès à un réseau aussi solide qu'immuable où les puissants continuent à influencer le monde bien après avoir quitté la lumière des projecteurs.

La crise de confiance touche également les Français sur la scène internationale

Ayant confié la gestion de notre pays aux élus et aux institutions de l'État, nous nous en remettons à eux pour défendre nos intérêts sur la scène internationale. Un petit rappel à propos des négociations préludant la vente de l'un des fleurons de l'industrie française, Alstom Énergie, vendu à son concurrent direct General Electric, et évalué à treize milliards d'euros en 2014 – une opération qualifiée par certains de « scandale d'État ». Cette vente confiait notamment à un groupe étranger la maintenance des turbines des cinquante-huit réacteurs nucléaires français, sans parler de la production de pièces indispensables aux turbines des sous-marins nucléaires, vecteurs privilégiés de la dissuasion nucléaire française. Sans entrer dans le débat sur le bien-fondé de cette vente, il est utile d'en rappeler les circonstances troublantes jusqu'au sommet de l'État, et les pressions géopolitiques exercées sur fond de guerre économique avec les États-Unis. Il ne s'agissait pas simplement de l'achat d'une entreprise par une autre, mais de souveraineté nationale.

D'où la réflexion de Frédéric Pierucci, ancien PDG de la filiale chaudière d'Alstom : « Si demain on n'est pas d'accord avec la politique étrangère des États-Unis [...], ils peuvent nous mettre dans le noir puisque 75 % de l'électricité en France est produite par nos centrales nucléaires.[62] »

Parmi les documents révélés par Edward Snowden en 2015 dans le cadre des WikiLeaks, certains prouvent que durant des années la justice américaine a mandaté la NSA pour espionner des entreprises françaises et réunir des informations sur des contrats aux montants faramineux. Coïncidence ? Quelques mois avant la vente d'Alstom Power, l'entreprise a dû reconnaître devant la justice américaine son implication dans des faits de corruption commis envers des officiels en Arabie Saoudite, Indonésie, Égypte et Taiwan, entre 2000 et 2011. À l'issue de ces procès, Alstom s'est vu infliger une amende de sept cent soixante-douze millions de dollars. Et c'est alors que plusieurs hauts dirigeants français d'Alstom ont subi de fortes pressions de la part du gouvernement américain ; certains ont même été arrêtés et incarcérés sur le territoire américain. Frédéric Pierucci en a fait les frais puisqu'il a passé vingt-cinq mois derrière les barreaux. En 2019, il s'est exprimé sur YouTube pour expliquer ceci : les poursuites américaines visaient bien à décomposer Alstom et à faire chanter ses dirigeants, dont son PDG Patrick Kron, personnellement menacé. Ce dernier a ainsi dû éviter soigneusement tout voyage outre-Atlantique pour éviter d'être incarcéré à son tour.

Cette saga, qui n'est pas close, laisse songeur sur la capacité de la France à défendre son industrie face à des nations qui semblent prêtes à tout pour défendre leurs propres champions. Déplorant la cécité des autorités françaises sur le moment, Frédéric Pierucci considère qu'en France, « Seul Arnaud Montebourg comprend, c'est le seul qui s'est exprimé là-dessus [...]. Il avait fait le lien entre la procédure judiciaire aux États-Unis et l'opération de rachat. » Et l'ancien dirigeant de la filiale chaudières d'Alstom de conclure : « Les États-Unis m'ont libéré sous caution la semaine où le gouvernement français a estimé que General Electric pouvait racheter Alstom. »

Oui, les Français ont grand besoin d'être rassurés sur le positionnement de la France à l'étranger. Et la peur d'un déclassement collectif donne du grain à moudre à la méfiance populaire. Sommes-nous vraiment bien défendus hors de nos frontières ? Les intérêts nationaux priment-ils réellement les intérêts industriels, les lobbys et autres groupes d'influence qui gravitent autour des lieux de pouvoir ? En tant que Français, nous avons été nourris de la grande histoire de notre pays, terre de la liberté, des grandes inventions et des conquêtes militaires. Paris, notre capitale, était jusqu'à récemment – avant le Covid – la première destination touristique mondiale. Quand je vivais en Chine, dans la ville de Suzhou, je me souviens des habitants qui me parlaient de Paris avec des étoiles dans les yeux. La France est-elle encore un modèle pour le monde ? Est-elle encore capable d'attirer des talents ? Je ne me risquerai pas à un long développement sur le sujet. Mais il faut reconnaître que nombre de nos concitoyens craignent que la France ne soit plus prise au sérieux. Ce qui est très précisément une autre des missions de nos gouvernants : restaurer la confiance des Français sur la place occupée par leur pays sur l'échiquier du monde.

Pour cela, il existe de nombreuses voies. D'abord, il faudrait à mon avis renforcer la coopération entre les États européens sur le plan économique et politique. Pourquoi cette priorité ? Pour peser davantage dans les discussions face à des États gigantesques, dans un monde où l'Europe n'est plus centrale. À quelle influence pouvons-nous prétendre, seuls face aux nouvelles puissances comme la Chine et ses 1,39 milliard d'habitants, l'Inde qui en compte 1,35 milliard ou, même s'ils déclinent, les États-Unis et leurs 328 millions d'âmes ? Grâce à l'Union européenne, la voix de la France s'intègre certes dans une polyphonie, mais au moins se fait entendre. Rien que sur le plan économique, nous sommes plus forts unis pour résister aux assauts menaçants menés par des puissances étrangères contre nos entreprises. En effet, le cas d'Alstom n'est pas isolé. D'autres entreprises, notamment les GAFAM, se sont retrouvées à l'inverse « protégées » par le gouvernement américain tout en profitant des bienfaits de la mondialisation et d'une relation avantageuse – pour eux – avec l'Europe.

Dans la même veine, une union plus forte des pays européens permettrait également de limiter les effets délétères de la course au « moins-disant fiscal » : en jouant sur le taux d'imposition des sociétés, certains pays cherchent en effet à attirer les entreprises. Le cas de l'Irlande, qui pratique un taux d'imposition sur les sociétés de 12,5 % alors qu'en France il est de 25 %, est un modèle du genre. Pas de surprise de voir Google ou Apple Europe y établir leur siège. L'harmonisation des règles fiscales offrirait l'avantage de poser le cadre d'une compétition économique plus équitable entre les États européens, mais également d'ouvrir la voie à une meilleure participation des entreprises aux sociétés dans lesquelles elles interviennent.

C'est dans cette même perspective que, début 2021, le ministre de l'Économie Bruno Le Maire expliquait lors de ses vœux à la presse que « la France se donnait jusqu'à l'été pour convaincre les États-Unis de Joe Biden d'adopter une solution OCDE » concernant l'imposition des multinationales du numérique. En effet, les discussions entre cent vingt pays, sous la houlette de l'organisation basée à Paris, ont été tuées dans l'œuf à l'automne 2020 par l'administration Trump. Un nouvel accord durable avec les États-Unis sera-t-il trouvé pour éviter une taxe GAFAM européenne ?

Cette question me rappelle un épisode du début de ma vie professionnelle. J'avais monté une autre start-up appelée Kalm Group avec Othmane, l'un de mes meilleurs amis. Il s'agissait d'un *start-up studio* dont le but était de construire des marques digitales européennes distribuées d'abord sur Amazon. Avec l'aide d'algorithmes développés par deux génies parisiens de l'informatique, nous étions capables de collecter et d'analyser chaque jour toutes les informations produits publiées sur le site d'Amazon en Europe et aux États-Unis, du prix du produit à sa couleur en passant par son poids ou sa catégorie. Et ce, sur des millions de produits. Nous pouvions ainsi, par exemple, identifier automatiquement les produits phares d'un marché aux États-Unis, peu exploités en Allemagne et sur lesquels il n'y avait pas de concurrence en France. À partir de là, nous avons lancé nos propres marques de produits comme Appétit Gourmet, spécialisée dans les ustensiles de cuisine. Chaque mois, je recevais les factures qu'Amazon nous envoyait pour l'usage de leur plateforme de vente et de leur logistique. Et à chaque fois, j'étais sidéré : Amazon.fr étant enregistré au Luxembourg, l'entreprise qui opérait en France n'était donc pas soumise à la TVA. En creusant, j'ai trouvé un rapport de Margrethe Vestager, à l'époque commissaire chargée de la concurrence à la Commission européenne. « Grâce aux avantages fiscaux illégaux accordés par le Luxembourg à Amazon, près des trois quarts des bénéfices d'Amazon n'étaient pas imposés. En d'autres termes, Amazon a pu payer quatre fois moins d'impôts que d'autres sociétés locales soumises aux mêmes règles fiscales nationales. Il s'agit d'une pratique illégale au regard des règles de l'UE en matière d'aides d'État. Les États-membres ne peuvent accorder à des groupes multinationaux des avantages fiscaux sélectifs auxquels les autres sociétés n'ont pas accès.[63] » C'est l'une des raisons qui m'a poussé à abandonner cette activité, pourtant lucrative. Avec le sentiment un peu révoltant que ce genre de comportement confine à la malhonnêteté.

La confiance au sein des entreprises pour créer un environnement prospère au travail

Parce que l'État est chargé par les Français de promouvoir liberté, égalité et fraternité, c'est à lui qu'incombe la mission de donner confiance en l'avenir. Entre les entreprises et l'État, c'est de nouveau la confiance qui doit faire loi. Une confiance mutuelle, qui peut être comprise sous le régime de l'intérêt commun : parce que les institutions publiques garantissent une compétition économique rendue équitable par des limites inscrites dans le droit, l'État peut à son tour se montrer exigeant envers les entreprises. Pour le dire autrement, l'État a autant besoin des entreprises que les entreprises de l'État. Sans souveraineté économique et financière, pas de souveraineté politique ; et sans vie politique, la vie économique risque fort de se réduire à l'errance, à la recherche du seul profit et à la « guerre de tous contre tous » selon la célèbre formule de Thomas Hobbes.

C'est en ce sens qu'il faut entendre la légitimité du politique à édicter des règles encadrant l'entreprise privée et le travail. Une illustration positive en est l'encouragement et le financement de l'entrepreneuriat par les pouvoirs publics, la lutte pour la réindustrialisation ou les efforts liés à l'investissement. C'est précisément la raison d'être de la BPI, la Banque publique d'investissement française, distribuant des aides publiques aux start-up ou des primes aux entreprises qui rapatrient leurs activités en France.

Pour promouvoir une société de la confiance, l'État doit donc favoriser les conditions de cette confiance sur le marché du travail. Mais sa fonction est aussi d'encourager et d'accélérer la transition écologique et sociale. Dans cet esprit, depuis mai 2019, avec l'adoption de la loi Pacte, les entreprises peuvent intégrer dans leurs statuts une « raison d'être » et devenir « entreprise à mission ». Cela traduit officiellement une ambition de ne pas réduire leur activité au seul enrichissement de leurs actionnaires, mais de la placer aussi au service du bien-être de la société. Ainsi, en 2020, la MAIF a investi deux cent trente-huit millions d'euros de plus que l'année précédente dans des projets liés à la transition énergétique et écologique – pour un total de 1,2 milliard d'euros. Par ailleurs, le fait d'inscrire une raison d'être dans ses statuts rend l'entreprise légalement responsable si elle néglige sa mission. Emmanuel Faber, ex-PDG de Danone, avait par exemple défini avec ses équipes la raison d'être suivante : « apporter la santé par l'alimentation au plus grand nombre ». Un engagement assorti d'objectifs concrets liés au respect de la planète, à la santé, à l'innovation sociale et à la croissance inclusive.

Chez Blisce, en tant qu'investisseurs, nous avons également introduit une « raison d'être » dans nos statuts : celle « d'avoir un impact sociétal et environnemental positif et significatif dans le cadre de nos activités commerciales et opérationnelles. Ainsi, les dirigeants doivent considérer dans leur prise de décision les effets sociaux, économiques et juridiques de leurs actions vis-à-vis (i) des employés de la Société et de ses fournisseurs ; (ii) des intérêts des clients bénéficiaires de l'impact sociétal ou environnemental de la Société ; (iii) des communautés en interaction avec la Société et ses fournisseurs ; (iv) des enjeux environnementaux ; et (v) des intérêts à court terme et à long terme de la Société. » Un programme très ambitieux qui dit bien pourtant notre volonté de faire du business, mais pas à n'importe quel prix.

Évidemment, l'inscription d'une raison d'être se fait souvent à grand renfort de plans médias. Prêtant ainsi le flanc à la suspicion d'instrumentalisation d'une intention louable, comme le *greenwashing* et autres opérations authentiquement mensongères. Pourtant, je suis certain qu'une telle modification des statuts, quand bien même elle ne servirait de prime abord qu'à renforcer la visibilité de l'entreprise, la contraint néanmoins à poursuivre *in fine* ses objectifs – ne serait-ce que pour préserver sa légitimité. C'est un moyen efficace pour mettre une entreprise et ses dirigeants en situation d'assumer les externalités négatives, et leur enjoindre de fournir les preuves qu'ils agissent pour les limiter ou les compenser. Aussi, en adoptant la loi Pacte, l'État a-t-il envoyé aux entreprises un message fort d'encouragement et d'incitation à agir concrètement en faveur des causes sociales et environnementales.

Les principaux outils de l'État : la régulation et l'impôt

Pour que l'État soit en mesure d'accompagner les entreprises, il doit disposer des moyens de ses ambitions. L'impôt sur les biens personnels – patrimoine et salaire – et l'impôt sur les sociétés sont les moyens légitimes pour financer la santé, le chômage et les retraites. Pourtant, la manière dont l'institution prélève ces impôts, en particulier auprès des entreprises, pourrait encore être améliorée pour encourager les meilleures pratiques et corriger les injustices flagrantes : est-il acceptable qu'une multinationale comme Google ait présenté pendant de nombreuses années sa filiale française comme un simple prestataire de services intragroupe afin de réduire considérablement ses impôts ? En 2018, Google n'a payé que dix-sept millions d'euros d'impôts en France alors qu'on estimait son chiffre d'affaires sur le territoire à deux milliards d'euros. Ce qui aurait dû générer un peu plus de cent millions d'euros d'impôts sur les sociétés. Au lieu de cela, le résultat de l'activité a été déclaré en Irlande, où l'impôt sur les sociétés est beaucoup moins élevé, sous prétexte que seule la maison mère avait un pouvoir décisionnel. Depuis, la France travaille d'arrache-pied avec la Commission européenne pour sanctionner ce géant, accusé non seulement de fraude fiscale aggravée, mais aussi de blanchiment en bande organisée. Google a finalement payé plus d'un milliard d'euros en 2019 pour solder ses contentieux en France. Ce qui tend à prouver que, lorsque la volonté politique tient ferme et qu'une coopération entre pays européens se dessine, nos dirigeants peuvent agir face aux entreprises internationales. Sans coopération interétatique à l'échelle européenne, les GAFAM continueront par contre de bénéficier d'un pouvoir quasi supérieur à celui d'un État isolé. Par exemple, le gouvernement français a instauré une taxe GAFAM de 3 % du chiffre d'affaires, conçue exclusivement pour les géants de l'internet. Google s'est aussitôt empressé d'en répercuter le montant sur la facture des annonces publicitaires diffusées via Google Ads. Une manière de faire payer cette taxe à ses clients...

Un échange avec Nadia Terfous, ex *partner* chez McKinsey et *managing director* chez Economics of Mutuality, une agence de conseil en stratégie ESG pour les grands groupes, m'a fait prendre conscience de l'impact que pourrait avoir l'État s'il décidait de transformer les règles comptables et l'imposition sur les sociétés. Pourquoi les entreprises les plus vertueuses et responsables devraient-elles être imposées autant que les plus pollueuses ou celles aux plans sociaux les plus néfastes ? Pourquoi ne pas récompenser les entreprises qui apportent une contribution positive à la société grâce à un niveau d'imposition minoré, tandis qu'à l'inverse les autres se trouveraient pénalisées ? Il faudrait pour cela concevoir un impôt sur les sociétés fondé sur l'impact social et environnemental, afin que la compétition économique repose davantage sur les bénéfices extra-financiers des entreprises. De cette façon, ces dernières paieraient un impôt plus élevé si elles dégradent l'environnement et le lien social, tandis que d'autres recevraient de l'argent pour avoir créé des externalités positives. À l'échelle du budget de l'État, l'effet serait neutre : les mauvais élèves compenseraient la diminution des cotisations des bons. Nous pourrions aussi envisager de rendre obligatoire à tout organisme la publication du bénéfice net de son impact CO_2. Les entreprises seraient ainsi amenées à réduire ou au moins à compenser leurs émissions de CO_2. Dans quelques années, d'autres ressources comme l'eau ou l'air pur se feront sans doute plus rares, et leur usage pourrait aussi être intégré au calcul. Des considérations certes très techniques, mais qui peuvent vraiment accélérer la transition vers une finance verte et des entreprises de plus en plus responsables.

C'est à ce titre que l'État pourra exiger la publication obligatoire d'une mesure d'impact assortie d'une notation extra-financière faisant office, en quelque sorte, d'assiette fiscale. Comme évoqué plus haut, des standards comme le label B Corp commencent d'ailleurs à se répandre, tout comme des agences de notation telles que Vigeo Eris ou EcoVadis, qui a récemment levé deux cents millions de dollars pour accélérer son développement. Il faudrait enfin former davantage d'analystes capables de mesurer ces critères extra-financiers avant de les intégrer à part entière dans les analyses d'investissement.

Encadrer le travail pour libérer les énergies

La question du déficit de confiance touche aussi la notion de travail elle-même et son coût. À ce sujet, on a déjà évoqué l'importance de mettre fin au corporatisme. Il existe aussi d'autres manières de changer la donne de l'intérieur, notamment en revivifiant et assainissant les syndicats pour concilier santé des entreprises et bien-être des salariés. Depuis de nombreuses années, alors que la France est un des pays qui compte le moins de personnes syndiquées, l'État se trouve forcé d'agir sous la pression de syndicats incapables de s'entendre entre eux. Ils ne représentent en effet que 11 % des salariés et seulement 6 % chez les moins de 30 ans[64]. À titre de comparaison,

66 % des salariés danois sont syndiqués, tous âges confondus. Si les syndicats attirent moins en France, c'est que certains se sont transformés en groupuscules d'intérêts corporatistes qui cherchent à maintenir leurs privilèges au lieu d'animer le dialogue social. Ils suscitent ainsi la défiance de 60 % des salariés tous secteurs confondus[65]. Sans pouvoir compter sur la confiance des travailleurs, les syndicats perdent autant leur raison d'être que leur pouvoir d'action. Conséquence : l'État se trouve dans l'obligation de palier cette carence et de définir pour tous les métiers, de manière forcément imparfaite, le cadre d'exercice du travail. En vidant de son contenu le dialogue social, ces interventions-ingérences empêchent l'avènement de réformes de fond nécessaires, elles, à l'amélioration du marché du travail.

Il est donc urgent de vivifier les syndicats pour faire émerger un modèle social restaurant la confiance mutuelle et le civisme dans les relations de travail. Pour cela, limiter les « accords de branche » au profit du dialogue dans chaque entreprise m'apparaît indispensable. Dans ce modèle, syndicats de travailleurs et d'employeurs négocieraient ensemble les salaires, le temps de travail et la sécurisation des parcours professionnels. Des concertations qui peuvent d'ailleurs se tenir sans l'État, ses représentants ne disposant pas de la connaissance fine et empirique de tous les métiers.

Cependant, pour que les syndicats puissent reprendre cette place centrale, il semble urgent de réformer d'abord le syndicalisme et les organisations patronales. Car, si l'on souhaite que ces organismes disposent de davantage de pouvoir, encore faut-il qu'ils soient réellement représentatifs.

Le premier dysfonctionnement est selon moi lié au mode de financement des syndicats professionnels. En France, ils vivent en grande partie de subventions de l'État et des collectivités locales, et ne sont pas soumis à l'obligation de publier des comptes certifiés. Ces subventions dépendent peu du nombre d'adhérents et de la qualité de la représentation. Le financement syndical devrait tendre vers plus de transparence, par exemple en confiant aux entreprises elles-mêmes la charge de les entretenir en proportion du nombre de leurs adhérents. S'il en était besoin, les derniers scandales à l'UIMM ou les récentes démissions de Pascal Pavageau (FO) et Thierry Lepaon (CGT) à la suite de révélations de malversations supposées témoignent bien d'un système en bout de course.

Le second dysfonctionnement provient du nombre et du fractionnement des syndicats. La cohabitation de huit syndicats distincts en France entraîne la plupart du temps une surenchère dans la mobilisation contre les réformes, qui empêche une saine émulation dans le dialogue social. Historiquement, le syndicalisme français s'est construit autour d'organisations de militants divisées selon des clivages politiques, et non selon un syndicalisme qui se mette juste au service des salariés. Cette division est peu propice au climat de confiance au sein des entreprises. Pourtant, l'émergence d'une véritable démocratie sociale, dans laquelle les syndicats seraient capables de négocier ensemble des compromis, passe nécessairement par leur union.

Pour rompre le cercle vicieux de la défiance, la France doit aussi s'engager à reconsidérer et redéfinir la valeur du travail et son coût. Prenons un exemple concret. Tous les mois, l'employeur d'Albert lui paye 2 840 euros sur lesquels sont prélevés 840 euros de cotisations patronales. Sur les 2 000 euros brut mensuels, Albert paiera à son tour 474 euros de cotisations salariales et 34 euros d'impôts sur le revenu. Pour qu'Albert reçoive 1 492 euros à la fin du mois, l'employeur doit verser 2 840 euros, soit environ le double du salaire net perçu. Par la suite, si Albert investit cet argent, il devra s'acquitter de la *flat tax* sur ses gains à hauteur de 30 %. À moins qu'il ne jouisse d'un avantage fiscal grâce à son assurance vie (imposée à 25 % au-delà de huit ans) ou à un plan d'épargne action (imposé à 17 % au-delà de cinq ans). Pour s'enrichir, il est donc fiscalement beaucoup plus avantageux d'investir que de travailler. Ce modèle fiscal favorise ceux qui ont les moyens d'investir au détriment de ceux qui travaillent pour vivre, voire pour survivre. Certains répondront que, dans un monde globalisé, il faut s'adapter à certains standards fiscaux pour être attractifs. Mais il ne faut pas perdre de vue non plus que c'est avant tout le travail, et non la rente, qui permet à nos champions nationaux de rester dans la course. Revaloriser le travail via un équilibrage plus équitable entre l'ensemble des niveaux d'imposition serait à coup sûr un puissant générateur de confiance entre les différentes parties prenantes des entreprises.

La confiance se cultive aussi grâce à la participation plus active et plus régulière des citoyens, en dehors des périodes électorales

Nous nous souvenons tous du mouvement des Gilets jaunes, apparu en octobre 2018 face à l'augmentation des prix du carburant avant de s'élargir à d'autres revendications liées au niveau de vie des classes moyennes et populaires. La raison d'être de ce mouvement réside dans une préoccupation commune à tous les Français : celle d'être mieux entendus entre les échéances électorales. Face à l'ampleur du mouvement, le président Macron a d'ailleurs finalement renoncé à la hausse de l'impôt en question et annoncé une série de mesures économiques et sociales d'urgence avant de lancer un grand débat national. À la fin de cette consultation, le gouvernement a annoncé une baisse d'impôts pour les classes moyennes et la ré-indexation des petites retraites. Des promesses qui n'ont pas vraiment fait taire un mouvement qui continue à couver sous les cendres.

N'existe-t-il vraiment aucun autre moyen d'être entendu des gouvernants que par les urnes ou la rue ? Si, comme en témoignent les actions citoyennes de plaidoyer politique, autre nom du lobbying. L'existence de lobbys, ou « groupes d'intérêts », est davantage admise auprès des institutions européennes qu'en France. Pour autant, les fameuses « relations publiques » des grandes entreprises en France sont de plus en plus mises en avant aujourd'hui, rendant plus visible ce qui se tramait avant dans des cercles fermés. À cet égard, je propose une nette distinction entre le lobbying, qui défend des intérêts personnels, et le plaidoyer politique, qui s'inscrit dans une dimension d'intérêt général dont nous reparlerons.

Pour comprendre comment fonctionne ce contre-pouvoir, je me suis rapproché de Maé Kurkjian, experte en plaidoyer politique au sein de l'ONG The One Campaign. Elle m'a expliqué que, pour maximiser les chances de développer un projet – qu'il s'agisse d'une proposition de loi ou d'une opération financière –, il est toujours important d'appréhender les forces en présence, de les circonscrire et de les qualifier. Ensuite, pour faire pencher la balance, reste à décider à qui s'adresser en priorité. S'il s'agit d'une proposition de loi en France, il est essentiel de jauger l'enthousiasme politique suscité par le sujet en question. Quant à la réglementation européenne, elle implique de s'intéresser à la manière dont le pays qui tient la présidence temporaire de l'Union envisage le sujet. C'est en effet à lui de définir l'agenda législatif correspondant aux six mois de son mandat.

Pour prendre un exemple concret, la France sous François Hollande n'a pas voulu attendre que l'Europe se décide au sujet de la transparence des banques. Sur la question de la taxe sur les transactions financières, un *statu quo* s'est dessiné en Europe, chaque pays se renvoyant la balle pour défendre sa compétitivité. Sur d'autres thèmes, en revanche, c'est l'Europe qui mène la danse, comme pour la publication des bénéficiaires économiques finaux des entreprises destinée à éviter l'évasion fiscale.

Là encore, la confiance doit être de mise. L'obligation de publier le nom et les sommes allouées aux « affaires publiques », auprès de l'Union européenne et en France, permettra sans doute d'en finir avec la vision quasi « complotiste » de certains : seuls les plus offrants parmi les lobbyistes et les groupes industriels et financiers seraient les véritables décisionnaires en matière de politiques publiques. À ce sujet, le salaire des administrateurs du Sénat et de l'Assemblée peut paraître mirobolant. Pourtant, ils représentent aussi la garantie de l'impartialité dans l'écriture des lois. Des administrateurs ou des politiques suffisamment rémunérés seront moins tentés de toucher des pots-de-vin de la part de ceux qui promeuvent des intérêts privés.

J'ai d'ailleurs eu l'occasion d'expérimenter la puissance du plaidoyer au service de grandes causes à visée universelle. Quand je me suis engagé aux côtés de l'ONG The One Campaign, nous étions trois cent vingt jeunes – lycéens, étudiants, jeunes actifs – de trente-cinq nationalités et sept pays différents. Cofondée par Bono, le célèbre chanteur du groupe U2, cette organisation lutte contre l'extrême pauvreté, principalement en Afrique. Ses seules armes : des campagnes de sensibilisation et des plaidoyers adressés aux pouvoirs publics. Pendant un an, notre mission a consisté à rencontrer citoyens et représentants politiques pour les convaincre de nous rejoindre dans la lutte contre les inégalités.

« Ce qui m'a poussé à rejoindre ONE, c'est son combat contre l'injustice et les préjugés. Notamment en matière de lutte contre l'extrême pauvreté et pour la promotion de l'égalité homme-femme », témoigne ainsi Ugbad Ali Mohamad, jeune ambassadrice de l'association à Aix-en-Provence.

La force de cette initiative repose sur un cocktail de mobilisation puissant : la jeunesse, l'inscription dans un territoire et la formation des volontaires par des experts. Une fois formés à notre tour, nous avons donc sillonné la France pour rencontrer des élus dans leur bastion électoral.

Car un constat s'impose : le combat contre l'extrême pauvreté n'est pas terminé. Depuis que sévit le Covid en Afrique subsaharienne, cent vingt millions de personnes risquent de basculer dans l'extrême pauvreté. Convaincus que la solidarité internationale devrait faire partie du projet de relance français, nous avons demandé aux députés d'augmenter l'aide publique au développement dans le projet de loi de finances. Notre solution de financement reposait notamment sur la taxe sur les transactions financières, aussi surnommée « taxe Robin des Bois ». Concrètement, il s'agissait de taxer les transactions spéculatives à très court terme pour élargir l'assiette de la solidarité internationale – une proposition qui semble raisonnable alors que le secteur financier a tourné à plein régime pendant les confinements successifs. En quelques semaines, nous avons contacté plus de cent quarante députés, dans leur grande majorité membres de la commission des finances, et toutes couleurs politiques confondues. Nous les avons joints par les méls et les numéros de téléphone indiqués sur le site de l'Assemblée nationale, ou bien nous sommes passés par leurs assistants parlementaires. Et j'ai été très surpris du nombre de réponses obtenues. Que ce soit en visioconférence ou dans les couloirs de l'Assemblée nationale, j'ai grâce à cela pu présenter très simplement notre projet aux députés qui se sont montrés, pour la plupart, extrêmement intéressés. Ainsi, lorsqu'elle a été mise à l'ordre du jour, la taxe sur les transactions financières a suscité une mobilisation sans précédent de la part des députés auxquels nous nous étions adressés. Même si, malheureusement, leur nombre est resté insuffisant pour faire voter la loi.

Cette action citoyenne n'a pas complètement abouti, mais je suis convaincu que c'est en multipliant ces initiatives collectives, sans craindre de s'adresser régulièrement à nos élus, que nous arriverons à faire bouger les lignes. Ce moyen d'action, accessible à tous les citoyens, pourrait devenir monnaie courante. D'autant que l'expertise publique ne peut être exhaustive sur tous les sujets. À ce titre, les ONG ont gagné en influence et en légitimité pour éclairer les décisions liées aux politiques publiques. Le lobbying a néanmoins ses limites, telles que les échéances électorales ou le manque de moyen des ONG. *In fine*, tout dépend la plupart du temps de la bonne volonté d'une seule personne. Et il suffit de tomber sur quelqu'un qui demeure hermétique à vos propos pour que toute possibilité d'enrichir le débat s'envole en vous interdisant d'y faire entendre votre point de vue.

J'ai à cette occasion pu bénéficier de quelques astuces sur la manière de mobiliser ses représentants. Pourquoi devrait-elle en effet rester réservée à une poignée d'initiés ? Pour réussir une campagne de plaidoyer, il faut ainsi toujours se présenter avec un message clair et surtout des propositions concrètes. Ces dernières doivent être ambitieuses, mais aussi suffisamment flexibles pour aboutir à un compromis. Les députés ayant très peu de temps, il faut leur préparer le travail au maximum en proposant des solutions clé-en-main. Et, pour cela, le bon réflexe est de se mettre à leur place et de valoriser à la fois les bénéfices à attendre pour la société et pour eux. Agir ainsi sur le vote d'une loi ou d'un amendement, c'est un travail de longue haleine dans lequel la création de coalitions avec d'autres organisations permet d'avoir plus de poids dans les discussions. Par exemple, dans le cadre d'une action menée dans le cadre du G7 en 2019, ONE est arrivé avec une proposition très concrète sur le suivi des engagements pris dans le cadre de l'égalité de genre : une proposition présentée sous forme d'une note technique, détaillant budget nécessaire, enjeux et impact sur les territoires. Notre fierté, c'est qu'Emmanuel Macron en a repris certains éléments dans son discours !

Pour restaurer la confiance entre les Français et leurs institutions, il faudrait donc, d'un côté, permettre aux Français d'être entendus plus régulièrement et, de l'autre, que les citoyens prennent conscience du devoir de s'engager et d'agir concrètement pour peser sur la vie politique.

Après avoir constaté que certains citoyens sortaient de la passivité vis-a-vis de leurs représentants pour inventer des manières de peser sur la vie politique, c'est tout naturellement qu'il convient d'aborder à présent le « quatrième pouvoir » : la presse et les médias. Souvent décriés mais toujours consultés, voie de contestation comme de rassemblement, ils sont au cœur des grandes transformations à l'œuvre dans notre siècle.

Comme les autres lieux de pouvoir, les médias sont la cible de critiques – que ce soit les journaux papier ou en ligne, la télévision publique ou les chaînes privées, ou bien les médias indépendants. Certains traits du journalisme contemporain peuvent expliquer les raisons du désamour des Français pour ces organes d'information. Certes, le sensationnel, symbolisé par le triptyque « sexe, drogue et violence », est souvent favorisé par des médias préoccupés avant tout par leur capacité à vendre de l'information. Une manière efficace d'augmenter leur audience, à la recherche du seul nombre de clics ou de ventes à l'exemplaire. Ce qui oscille parfois entre une course à l'armement et un concours de voyeurisme entre médias agit à la longue sur le lecteur : pris de lassitude, il ne sait plus prendre le recul nécessaire à la digestion et à l'analyse de l'information. S'il était encore besoin de s'en convaincre, des études documentées révèlent que l'attention des lecteurs sur Internet se limite en moyenne à... huit secondes[66]. Inquiétant, non ?

Le phénomène n'est bien entendu pas circonscrit à l'Hexagone puisque, d'après la World Value Survey, 68 % de la population mondiale se déclare « dubitative », voire « se défie » des informations traitées par les canaux médiatiques traditionnels[67]. 43 % des moins de trente-cinq ans pensent même que les médias « de masse » ont un « impact négatif sur le monde[68] ». De quoi nourrir une surenchère de blogs et de contre-médias qui s'adressent à des communautés de goût et d'intérêt, livrant des informations conformes à leur vision du monde – quitte parfois à ne s'embarrasser ni de la réalité ni de la validité de leurs données. C'est la racine du phénomène désigné sous les termes «*fake news*».

Des *breaking news* aux *fake news*

Tout le monde garde en mémoire un conseil illuminé de l'ex-président américain Donald Trump aux médecins, au début de l'épisode du Covid-19: «travailler» à la possibilité d'ingérer un produit aussi toxique que l'eau de Javel pour «désinfecter» le corps. D'autres recommandations farfelues se sont ensuite répandues sur la Toile, dont celle de boire de l'alcool pour se protéger du virus. Après plusieurs graves accidents survenus aux quatre coins du monde, l'OMS a dû réfuter publiquement ces affirmations. Il n'est pas de meilleur moyen de démontrer que si les *fake news* peuvent faire sourire, certaines peuvent malheureusement avoir des conséquences désastreuses.

En novembre 2016, l'élection surprise du même Donald Trump au poste de président des États-Unis avait déclenché une volée de critiques de la gauche américaine adressées à Facebook. Ainsi, au lendemain de l'élection, Max Read, éditorialiste au *New York Magazine*, avait signé une tribune titrée: «Donald Trump a gagné à cause de Facebook» où l'on pouvait lire: «La manière la plus évidente avec laquelle le réseau social a permis la victoire de Trump a été son incapacité (ou son refus) de traiter le problème des canulars ou des fausses infos.» La veille du scrutin, Joshua Benton, directeur du Nieman Journalism Lab, s'était pour sa part amusé à analyser la page Facebook du maire d'une petite ville de Louisiane. Parmi les contenus postés au cours des dernières quarante-huit heures de la campagne, il avait constaté des âneries grossières telles que : « Hillary Clinton appelle à la guerre civile si Trump est élu » ; « Le pape François surprend tout le monde et apporte son soutien à Donald Trump » ; « Barack Obama admet qu'il est né au Kenya » ; « L'agent du FBI suspecté d'avoir fait fuiter l'enquête sur la corruption d'Hillary est mort ». Ces informations totalement fausses ont pourtant bien été diffusées sur Facebook, plateforme sur laquelle elles circulent vite et bien. Comme sur Twitter, au sujet duquel des chercheurs du MIT ont même démontré que les informations fausses y circulent six fois plus vite et sont mieux mémorisées que les vraies[69]. Des chiffres d'autant plus inquiétants que 61 % de la « génération Z » et 45 % des *millenials* s'informent sur des réseaux sociaux désormais sillonnés par des *fake news* et des *bots*[70]. Peut-on aller jusqu'à parler d'autoroutes de la désinformation ?

Les théories du complot, un prisme confortable pour comprendre le monde

Dans la même veine, le complotisme renforce la fracture entre une petite élite qui continue de s'informer dans les grands médias et une majorité qui se sent rejetée tout en ayant perdu les clés de compréhension d'un monde devenu très complexe.

Les contre-vérités de *Hold-up*, film documentaire à succès prétendant dévoiler une manipulation mondiale autour du Covid-19, en est l'exemple parfait. Notamment grâce au recours à de nombreux « experts », le doute s'immisce en effet facilement dans la tête du téléspectateur. Par la suite, l'équipe de la rubrique « Check news » du journal *Libération* a passé au crible toutes leurs affirmations. L'occasion de prouver que toutes celles qui ne s'appuyaient sur aucune source tangible se révélaient erronées, trompeuses et facilement contredites. À condition du moins de se donner la peine de chercher la vérité.

Hold-up n'est pas un cas isolé, loin de là. Confinement,

masques, vaccins, 5G, résultats de la dernière élection présidentielle américaine, etc. : toutes sortes de théories conspirationnistes ont récemment vu le jour. Pourtant, rumeurs et racontars n'ont pas attendu les pandémies pour exister... Mais ce qui a changé, ce sont les conditions de diffusion de ces théories et l'apparition des réseaux sociaux qui amplifient leur « viralité ». Jusqu'à récemment, l'opinion publique était « médiatisée », c'est-à-dire représentée par les grandes voix des partis, des journaux ou des associations. Avec Internet, c'est l'ère de l'instantané qui s'est imposée.

Justement, comment ces idées complotistes émergent-elles ? Contrairement à ce que l'on pense, elles ne relèvent pas du mensonge. Quand Trump dénonce des élections truquées dans le Michigan, on peut considérer que c'en est un car les comités électoraux où siègent des républicains les ont validées. C'est l'avantage du mensonge : la plupart du temps, il peut être facilement démonté. C'est plus difficile avec les théories du complot qui sont toujours liées à un discours, une analyse, et qui revêtent la forme d'une démonstration structurée.

Ces idées reposent en effet sur la recherche de la vérité, organisée avec une logique apparente menant à la résolution d'un mystère et à la dénonciation des prétendus responsables. La démonstration qui en résulte cherche par tous les moyens à s'appuyer sur des arguments qui semblent rationnels. Dans le cas des attentats du 11 septembre 2001, la réussite des terroristes paraissait ainsi trop spectaculaire. Ce constat mène à la théorie selon laquelle les Twin Towers auraient en réalité été détruites par la CIA. Pour démontrer cette thèse, des données techniques véridiques sur la combustion et la résistance de la structure des immeubles ont été convoquées. Bien que mal interprétées dans le contexte, elles apportaient un cachet scientifique à cette théorie.

Le complotisme est-il donc une idéologie ? Je ne le crois pas. Cette pratique souvent inconsciente est valorisante pour ceux qui la développent parce qu'ils ont l'impression de contribuer à rendre le monde plus intelligible, ce qui est l'un des objectifs de la vie sociale. Par ailleurs, elle séduit facilement car, par un biais cognitif, on a tendance à préférer un monde crédible et faux à un monde authentique mais incertain et complexe. Or, dénoncer le complotisme ne suffit pas : il est au contraire nécessaire de le prendre au sérieux et de le réfuter car il se construit sur des soupçons légitimes que l'on peut partager sans être soi-même complotiste[71].

Comme l'écrit Pierre Rosanvallon : « Pour l'historien des idées, il est vain de se borner à dénoncer le complotisme : il faut au contraire le prendre très au sérieux car il se construit sur des aspirations souvent légitimes.[72] ».

Que le journaliste *fasse du journalisme*, un point c'est tout !

L'explication du succès des *fake news* comme de celui du complotisme doit donc être trouvée notamment dans la soif du sensationnel alimentée par ceux qui en font leur gagne-pain, aux antipodes du journalisme, qui exige d'abord une attitude d'humilité face au réel. Au-delà de la lassitude générale éprouvée par les lecteurs à l'égard du sensationnel trash, il est difficile de nier que personne ne peut se proclamer expert sur tous les sujets. Et qu'il ne suffit donc pas d'être passé sur les bancs d'une école de journalisme pour être autorisé à dire n'importe quoi sur n'importe qui. Sur cet aspect, ceux qu'on appelle « journalistes à succès » sont peut-être prisonniers de certains codes.

La plupart des journalistes font leur travail avec un professionnalisme qui les honore, et il ne s'agit pas de leur en vouloir de ne pas maîtriser parfaitement tous les sujets. Notamment quand ils font face à un mouvement inédit et polymorphe comme celui des Gilets jaunes, ils peuvent montrer une forme de « retard à l'allumage » dans l'analyse et la compréhension précises de ce qui se déroule.

Patrick Eveno, universitaire français spécialiste de l'histoire des médias, exprime toutefois une forme de malaise : « Cela fait plus de deux siècles que les médias sont régulièrement accusés de mal répercuter la réalité et de formater l'opinion publique.[73] »

Mais qui sont les experts si ce ne sont pas les journalistes ? N'assiste-t-on pas à une perte de confiance dans le rôle même de l'expert ? Aux XIXe et XXe siècles, science et technologies étaient synonymes d'amélioration des conditions de vie. Cependant, une série d'événements concernant par exemple les OGM ou les pesticides a affecté le prestige de la science, et la méfiance s'est ensuite installée. Est apparue progressivement une armée d'individus convaincus de tout savoir, et ce jusqu'à s'autoproclamer experts. Dans cette confusion, le public a donc raison de se méfier. Mais cela le rend dépendant de la représentation qu'il se fait de sa dépendance à l'égard des sachants. Sur un sujet que les Français pensent ne pas connaître, ils auront naturellement tendance à faire confiance aux experts. Sur d'autres qu'ils estiment en revanche maîtriser, ils se montreront plus enclins à exprimer leur opinion, voire à soupçonner l'expert dont le mensonge dérange.

Cette confiance qui ne va pas de soi dépend ainsi de la méthode de recherche adoptée. Lorsqu'un expert s'exprime, il est important de s'assurer que son expertise soit réelle : quelle est son ancienneté dans le domaine où il intervient ? Quels sont ses diplômes et ses publications académiques ? Les enquêtes de l'Institut de radioprotection et de sûreté nucléaire (ISRN) démontrent que sept Français sur dix font confiance aux institutions scientifiques[74]. Dès lors, pourquoi, quand c'est nécessaire, les médias ne se reposeraient-ils pas systématiquement sur ces institutions pour établir leur crédibilité ? Ce qui rejoint le souhait universel d'une information fiable, qualitative et rendue réellement accessible à son destinataire grâce à la pédagogie ou à la vulgarisation.

On l'a vu, la pression des chiffres dans un secteur qui ne roule pas sur l'or semble pousser certains médias à prioriser le sensationnel sur la recherche d'informations importantes et vérifiées. À titre personnel, je me sens dépité lorsque je referme un journal où la quasi-totalité des informations concernent des actes isolés relevant de la violence, du sexe ou de la drogue. Voilà qui ne peut que produire une image tronquée de la réalité, et favoriser le sentiment que nous vivons dans un monde où tout va mal. Rappelons une évidence : le véritable journalisme, c'est celui qui vérifie très soigneusement ses sources. À cet égard, qu'on l'aime ou non, *Le Canard enchaîné* n'a jamais perdu un seul procès en diffamation, et aucune des informations qui y ont été publiées n'a jamais été démentie. La preuve par l'exemple qu'il est possible d'écrire vrai !

Que les individus osent penser !

Ce n'est pas tant la polarisation de la société ou des opinions qui semble problématique – il est au contraire très sain de confronter des opinions diverses dans l'espace public. Ce qui est préoccupant, c'est l'uniformisation des médias dans un manichéisme opposant l'autoproclamé « camp du Bien » et des courants extrêmes, souvent persuadés « qu'on leur cache tout ». Il est pourtant crucial pour l'exercice de la démocratie que chaque média puisse incarner, défendre et nourrir sa vision singulière du monde... sous réserve de ne pas la dénaturer volontairement, c'est-à-dire sans mentir.

Le danger de l'information moderne est paradoxal. Il ne réside pas dans notre crédulité, mais dans un accès à l'information organisé par des moteurs de recherche et des réseaux sociaux qui nous enferment dans des chambres d'échos et dans des «biais de confirmation». Ainsi, notre propre suspicion à l'égard de l'information, pourtant un réflexe de survie plutôt positif, se retrouve subtilement annihilée. Une personne convaincue par exemple que l'immigration est la source de tous les problèmes du pays pourrait préférer lire des sources d'information qui affirment, confirment ou argumentent son point de vue. L'algorithme des réseaux sociaux exacerbe justement ces biais. En effet, si telle personne *like* une vidéo alignée avec son opinion sur le sujet, l'algorithme lui proposera d'autres vidéos présentant le même point de vue. Au risque d'occulter totalement celles qui, toujours sur le même sujet, véhiculent un message divergent mais indispensable pour la construction d'une opinion personnelle. On observe ainsi une inéluctable montée en puissance de l'indignation, voire de la colère, sur et à cause des réseaux sociaux. À ce sujet, une étude a démontré que les messages les plus suivis sur les réseaux sociaux sont ceux qui incluent l'émoticône de la colère[75]. Comment s'étonner que ces espaces numériques représentent le carburant du brasier de l'émotion violente dont l'expression marque notre époque ? Le risque, c'est le phénomène pervers qui consiste à nous entourer à notre insu de gens qui nous ressemblent. Les réseaux sociaux se transforment alors en espace clos où émergent de faux débats à l'intérieur d'une même pensée doctrinaire. Tel est le premier pas vers la radicalisation, quelle qu'elle soit.

Oser penser par soi-même, c'est donc prendre la peine de vérifier ce que nous lisons et entendons, tout en faisant preuve d'ouverture d'esprit sur des avis divergents afin d'affirmer notre opinion sur un sujet après avoir pesé le pour et le contre. Telle est selon moi la garantie d'une attitude toujours réfléchie de l'ordre de la prudence intellectuelle. Les trois questions à se poser en analysant une information devraient donc être les suivantes : d'où vient l'information ? Est-elle crédible, c'est-à-dire correspond-elle à quelque chose qui me semble pouvoir exister réellement ? Enfin, ai-je personnellement intérêt à croire que cette information est vraie ? Un autre écueil commun face à l'information est en effet la tentation de la généraliser et d'occulter le caractère partiel de l'observation ou du choix de l'échantillon dont elle découle.

Tout en rappelant quel organe fabuleux est le cerveau, souvenons-nous qu'il est aussi celui qui consomme le plus de glucose. Parfois, l'effort investi dans la compréhension d'une transmission de connaissances sera disproportionné par rapport à la satisfaction intellectuelle que procure une conclusion intuitive. On peut ainsi avoir tendance à choisir malgré soi la réponse « qui nous arrange », de la même façon que la grande majorité de nos décisions sont prises par notre inconscient. Notre cerveau reçoit en effet jusqu'à onze millions de bits d'informations à chaque seconde, alors qu'il ne peut en analyser que quarante. En tant qu'êtres humains, il faut en être conscients, nos avis sont donc biaisés. Nous avons par exemple tendance à survaloriser les informations qui viennent de personnes que nous apprécions – en rhétorique, c'est le principe de l'« argument d'autorité ». Ces biais cognitifs peuvent entraîner une déformation dans la façon de traiter une information, et nous empêcher dans ce cas d'agir avec raison et prudence[76].

L'enseignement de la logique et de la culture générale dès le plus jeune âge

Pour développer son esprit critique, il est indispensable de disposer d'un bagage général, même sommaire. Violaine Ricard, entrepreneuse, enseignante et plume qui m'a accompagné dans la rédaction de ce livre, se montre ainsi sidérée par les lacunes de certains de ses étudiants en master. Et ce sur des sujets ou principes de culture générale commune comme le principe du siphon. C'est bien ce genre d'insuffisance notoire qui peut rendre crédule. De la même façon, certains

Américains sont convaincus que l'Homme ne s'est pas rendu sur la lune au motif qu'il serait impossible d'échapper à l'attraction terrestre ! Une éducation digne de ce nom, capable d'établir les bases de la culture générale, de la logique et de la connaissance des différents niveaux de langage, demeure le principal levier pour contrer les théories complotistes.

Apprendre à détecter les erreurs de raisonnement représente un second rempart face aux fausses informations. Dans l'élaboration et le déploiement des *fake news*, on trouve autant d'individus sincèrement convaincus que de personnes conscientes de transmettre sciemment des erreurs. Dans nos démocraties, l'impression de détenir un certain savoir rend naturels à chacun l'envie et le droit de donner son avis, d'«éditorialiser» le monde et de l'influencer. Le problème vient du fait que certains le font sans méthode et s'abandonnent à une baisse de vigilance, comportements qui produisent la crédulité. Actuellement, les théories du complot profitent à plein régime du travail collectif permis encouragé par les réseaux sociaux. En réaction à ce phénomène, et afin d'apprendre à mieux développer esprit critique et à user de méthodes de raisonnement, un grand nombre de «chaînes de formation» ont émergé[77].

Un nouveau journalisme est en train de naître

Avant de décrire ces nouveaux médias, je voudrais simplement énoncer une vérité qu'on a tendance à oublier : il n'existe au sens propre aucune autre information que la donnée scientifique – laquelle est toujours interprétée par quelqu'un. En d'autres termes, présenter une information sous le prisme d'une vision plus large du monde ne pose pas de problème. Ce qui est grave et dangereux, c'est d'une part de dénaturer l'information – par exemple en grossissant un chiffre ou en ignorant délibérément les conséquences d'un événement – et, d'autre part, de « tricher » en utilisant des données agrégées qui n'auraient en réalité aucun lien entre elles. Voici un exemple concret. Je découvre que 85 % des végétariens sont des femmes. Or les femmes représentent 60 % de la population française. Si je déclare : « Scandale pour la filière bovine ! La majorité des Françaises sont végétariennes ! », je fabrique une fausse information à partir de deux données pourtant vraies par ailleurs. Il s'agit ici d'un sophisme, de plus assez grossier pour nous mettre la puce à l'oreille. Parce qu'il est encore plutôt courant, en réalité, de voir des femmes faire la queue à la boucherie...

Pour résumer, l'utilisation de l'information à des fins partisanes n'est bien sûr pas en soi une mauvaise chose. En revanche, le parti pris d'un nouveau média comme *Brut* m'a interpelé. Plutôt que se focaliser uniquement sur ce qui va mal, il s'est en effet donné pour mission d'alerter la population sur les défis de notre temps – écologie, responsabilité des gouvernements, sport, culture, *empowerment* des femmes, minorités, etc. –, mais également de mettre à l'honneur des personnalités inspirantes.

En 2019, dans le cadre de mon activité d'investisseur, j'ai eu l'occasion de côtoyer longuement les équipes de *Brut,* chez qui Blisce avait investi. Il est né fin 2016 de l'association de « rock stars » issues de l'univers Canal+ : Renaud Le Van Kim, ex-producteur du *Grand Journal* et du festival de Cannes, et à l'origine de la création de plusieurs chaînes de TV ; Guillaume Lacroix, producteur chez TF1 et fondateur de *Studio Bagel* revendu à Canal+ ; et Laurent Lucas, ancien rédacteur en chef adjoint du *Petit Journal.* Leur concept : créer un média en ligne, multilingue et destiné aux jeunes de 18 à 34 ans du monde entier éloignés des médias traditionnels, en vue de leur fournir des clés de décryptage de l'information en ligne. L'idée n'est pas de leur dire comment penser, mais de leur offrir des reportages très courts et denses sur des sujets à impact. Et de gagner ainsi leur confiance. Créé sur un format mobile dédié aux réseaux sociaux, *Brut* s'est engagé à partager uniquement des informations «brutes». Et le succès ne s'est pas fait attendre. Selon les données du groupe, les contenus du média sont visionnés dans plus de cent pays par plus de deux cent cinquante millions de visiteurs différents chaque mois, ayant ainsi généré pas moins de vingt milliards de vues en 2020 ! De cette façon, *Brut* évite totalement l'écueil des *news* sensationnelles cherchant uniquement à générer du clic. Et, comme on peut le voir, ça marche !

Une spécificité soulignée à sa manière par Guillaume Lacroix, CEO de *Brut*: «La principale révolution dans notre utilisation des médias, c'est la conversation avec un public jeune, [qui] en [a] marre qu'on [lui] dise quoi penser, pour susciter un dialogue social positif autour des grandes questions contemporaines.[78]»

En décembre 2020, *Brut* a interviewé le président Emmanuel Macron. L'entretien a été visionné par plus de sept millions de jeunes, soit la moitié des 15-34 ans. Des chiffres que les médias traditionnels n'arrivent plus à atteindre ! Menée par les journalistes Rémy Buisine, Yagmour Cengiz et Thomas Snégaroff, l'interview a généré plus de deux cent mille commentaires sur les réseaux sociaux. C'était la première fois que des jeunes pouvaient poser leurs questions en direct au président sur les réseaux qu'ils utilisent au quotidien. Sur Snapchat, le président s'est livré le même mois à un autre échange qui a généré plus de cent millions de vues pour la même *story*.

Un pouvoir d'influence médiatique réaffirmé

Un autre média sur les réseaux sociaux, appelé *Loopsider*, a joué son rôle de garde-fou avec brio lors de l'agression par des policiers de Michel Zecler, producteur de musique. Elle s'est produite au moment d'un houleux débat parlementaire sur le projet de loi dit de sécurité globale visant à interdire la diffusion d'images de policiers en intervention. Sur un film de télésurveillance diffusé par *Loopsider*, on voit Michel, homme de couleur, violemment tabassé et interpellé alors qu'il se trouve sur le seuil de son studio de musique. Il a affirmé ensuite avoir été suivi par les policiers qui l'avaient aperçu dans la rue sans masque[79]. Ils l'ont ensuite frappé dans le hall d'entrée de son studio alors qu'il appelait à l'aide. La vidéo a été largement partagée et visionnée plusieurs millions de fois en quelques heures. À la suite de ce scandale médiatique, le ministre de l'Intérieur Gérald Darmanin a finalement demandé la suspension puis la mise en examen de plusieurs policiers qui font aujourd'hui l'objet d'une enquête du parquet de Paris pour « violences » et « faux en écriture publique ». Face à l'indignation des journalistes et de l'opposition, le Premier ministre a quant à lui annoncé la mise en place d'une commission indépendante pour revoir le projet de loi pour une sécurité globale. Dans cette affaire, le média *Loopsider* a ainsi permis de mobiliser très rapidement l'opinion publique en dénonçant des violences policières. L'impact a été triple : sur l'opinion publique, sur les discussions parlementaires et sur la recherche de la vérité au sujet du fond de l'affaire. Car Michel Zecler aurait sans doute été condamné à la suite des fausses déclarations des policiers.

Pour finir, rappelons toutefois deux choses. D'une part, tant que le procès n'a pas eu lieu, ces policiers restent présumés innocents. D'autre part, il faut mentionner que le montage de *Loopsider* a été contesté, images à l'appui. Si la vidéo dénonce en effet un comportement inacceptable, elle ne dit pourtant pas toute la vérité puisqu'elle occulte le contexte menaçant pour les policiers. Ce qui démontre la limite du *fact-checking* lui-même, et doit en permanence nous tenir en éveil sur la frontière subtile entre recherche de la vérité et militantisme.

D'autres médias se sont montés sur un modèle d'information résolument positive : *The Optimist*, proposé par le *Washington Post*, l'agence française *Sparknews* mettant en lumière les acteurs du changement, ou encore *Uspelite* lancé par Aleksandar Hinkov, que j'ai rencontré en Bulgarie.

Sur cet aspect ou dans leur fonction de caisse de résonance pour les lanceurs d'alerte, les médias jouent donc un rôle de premier ordre. Les lanceurs d'alerte qui prennent le risque de réaliser un signalement dans l'intérêt général tiennent une place capitale en prévenant ou en révélant les failles de nos États et de nos systèmes économique, politique et financier. Sans Edward Snowden, nous n'aurions pas eu connaissance de PRISM, logiciel d'espionnage à grande échelle mis en place par la NSA[80] donnant accès pour ses agents à toutes les conversations numériques de la planète. Une décision lourde pour Edward Snowden, que ce dernier justifie ainsi: «Je suis prêt à tout sacrifier car je ne peux pas, en conscience, laisser le gouvernement américain détruire la protection de la vie privée, la liberté sur Internet et les libertés fondamentales dans le monde avec la machine de surveillance qu'il est en train de construire.»

C'est aussi le cas de John Doe, identité de couverture du lanceur d'alerte de l'affaire des *Panama Papers* qui a jeté une lumière crue sur le monde opaque de la finance *offshore* et des paradis fiscaux. Les 11,5 millions de fichiers issus d'un cabinet spécialisé dans la création de sociétés *offshore* ont révélé des millions de noms d'anonymes, de chefs d'État, de milliardaires, de grands sportifs et de personnalités ayant dissimulé leurs actifs. John Doe explique de cette manière sa démarche: «J'ai décidé de dénoncer Mossack Fonseca parce que j'ai pensé que ses fondateurs, employés et clients avaient à répondre de leur rôle dans ces crimes, dont seuls quelques-uns ont été révélés jusqu'à maintenant.»

La loi, et c'est indispensable, protège ces lanceurs d'alerte par un certain nombre de mesures: absence de représailles, irresponsabilité pénale, garantie de confidentialité et sanctions civiles ou pénales envers ceux qui chercheraient à les contraindre. Ces mesures essentielles demeurent pourtant insuffisantes au vu des risques encourus dans le but de défendre l'intérêt général. Elles demanderaient à être renforcées.

Derrière les médias, des journalistes engagés

Quelques jours avant mon départ pour le Kenya, je suis tombé par hasard sur le profil de la journaliste Cyrielle Hariel. Je partais pour une mission humanitaire où je devais réaliser un certain nombre d'interviews du personnel et des bénéficiaires de l'association Carolina for Kibera, destinées à leurs donateurs américains. J'avais donc pris contact avec Cyrielle afin d'obtenir quelques conseils sur la réalisation d'un entretien filmé. Impossible d'oublier son sourire et son dynamisme ! Comme on dit, elle a vraiment « la patate ». Journaliste engagée et philanthrope 2.0, elle a débuté sa carrière en tant que journaliste sur C8 en 2010. Sa trajectoire professionnelle a vite pris une nouvelle tournure lorsqu'elle est partie en 2014 au Bangladesh avec la présidente d'Action contre la faim. Cyrielle y rencontre alors l'une des ethnies les plus persécutées du monde, les Rohingyas. Cette minorité musulmane, apatride depuis plus de trente ans, est actuellement victime de génocide. Cyrielle s'y trouve confrontée aussi, pour la première fois, aux conséquences du dérèglement climatique et à la montée des eaux. Cette mission la décide à agir en faveur des plus vulnérables à travers son rôle de journaliste, et à témoigner des conséquences du dérèglement climatique. En rentrant, un autre choc l'attend : on lui décèle une grave malformation cardiaque congénitale, impliquant une opération d'urgence. Cyrielle se réveille avec une prothèse au cœur et autant de reconnaissance envers la vie que d'énergie à transmettre pour défendre ceux à qui on ne donne jamais la parole. Elle traverse ensuite une période très difficile sur le plan physique et psychologique. Mais, passé cette épreuve, sa raison d'être est devenue claire : mettre en lumière les *changemakers*, c'est-à-dire les porteurs de solutions aux valeurs humanistes et écologistes qui font bouger les lignes de notre société. Elle relaie la parole de celles et ceux qui, passionnés et optimistes comme elle, pensent que la bonne volonté est un outil puissant qui prépare une société plus altruiste.

Depuis, Cyrielle a rencontré de nombreuses personnalités comme le capitaine Paul Watson, le Dalaï-Lama, le docteur Jane Goodall, les prix Nobel de la Paix que sont Muhammad Yunus et Denis Mukwege, le prince Albert II de Monaco, Bertrand Piccard ou Robert Redford. Lors de ses passages sur Europe 1, BFM, *Ushuaia* ou encore Yahoo Green, elle utilise chacune de ses interviews pour rendre plus concret le changement. Pour cela, elle évoque des histoires et des projets qui ont parfois semblé de prime abord très complexes, mais qui se sont pourtant souvent transformés en succès. « Je suis journaliste, *green* et positive : *green* parce que, pour moi, la pensée écologique est une pensée humaniste ; et positive pour rencontrer des gens et des projets inspirants. »

Un nouveau pouvoir entre le politique et le médiatique : celui des consommateurs et des citoyens

Pour achever cette réflexion, il me faut encore aborder un dernier pouvoir ou contre-pouvoir exceptionnel. Chacun en est dépositaire et peut l'exercer au quotidien. Ce pouvoir, c'est celui que nous détenons en tant que consommateurs et citoyens. Quand j'étais plus jeune, mon père me disait que, pour que le changement advienne, il fallait commencer par agir soi-même au travers des actions de notre quotidien. Je vous propose simplement de vous poser la question : que puis-je faire, à mon échelle, pour rendre notre monde un peu meilleur ?

Dès aujourd'hui, je suis certain que nous pouvons tous nous mettre en action. Que nous soyons membres d'une ONG, salariés ou actionnaires d'une entreprise, membres d'un parti politique, journalistes ou autres, nous pouvons tous chercher à répondre honnêtement à cette question. Sans qu'aucun jugement ne puisse être porté sur les engagements de chacun, une chose est sûre : un changement réel se produira si chacun d'entre nous se retrousse les manches en devenant, à sa propre échelle, un activiste.

Lorsque ma famille et moi rentrions de la plage pendant les grandes vacances de mon enfance, nous passions par un petit port de plaisance. À chaque fois, mon père se mettait à l'affût des sacs plastiques flottant à la surface, et qui mettraient deux cents ans à se décomposer... Il se retrouvait souvent à quatre pattes pour les attraper et les mettre à la poubelle. Pendant ce temps, énervés, nous patientions avant de rentrer à l'appartement. Lorsque je lui ai dit un jour que cela ne servait à rien au vu du nombre de sacs flottant en mer, il m'a répondu que ce sont les petites gouttes d'eau qui font les grandes rivières. Et il a raison : si nous nous y mettons tous, nous pouvons nettoyer notre planète. Cette anecdote se vérifie d'ailleurs dans tous les domaines. Elle montre que le pouvoir du simple consommateur et du citoyen est probablement le plus difficile à activer et à coordonner ; mais, une fois lancé, c'est de loin le plus puissant de tous !

La loi du Caddie, le nouveau bulletin de vote

En 2018, le Maroc a connu un boycott d'une ampleur historique ciblant trois entreprises : Danone, une eau minérale et un carburant. Ce mouvement a ébranlé le pays tout entier. Une démonstration éblouissante que le pouvoir d'achat du consommateur est bien aussi un pouvoir politique. Au mois d'avril, les trois entreprises avaient en effet été accusées sur les réseaux sociaux de pratiquer des prix anticoncurrentiels. Cette rumeur s'est rapidement transformée en un véritable raz-de-marée dans l'ensemble du pays : 42 % des Marocains ont pris part au boycott ! Naturellement, les conséquences ont été très lourdes. Le chiffre d'affaires de la filiale Centrale Danone a chuté de moitié dans les six semaines qui ont suivi l'appel, et aurait entraîné une perte annuelle de 178 millions d'euros. Chez le géant de l'agroalimentaire, c'était la panique[81]. Une campagne, intitulée « Discutons pour aller de l'avant » et touchant quelque cent mille personnes, a alors été lancée par Danone. Elle a abouti à la commercialisation de deux nouveaux produits : une brique de lait demi-écrémé économique et une brique de lait entier à prix coûtant. Ce boycott des consommateurs a ainsi réussi à faire bouger le leader mondial des produits frais, et poussé son ex-PDG Emmanuel Faber à engager l'entreprise dans la préservation de la rémunération des éleveurs et commerçants[82]. Rien d'étonnant pour Marc Drillech, ancien communicant et auteur d'ouvrages sur le boycott. « Le lien entre une marque et ses acheteurs est très facile à casser, beaucoup plus difficile et long à reconstruire. »

Et si acheter, c'était voter ? Chacun est libre de placer ce qu'il souhaite dans son Caddie. Aujourd'hui, les consommateurs accordent de plus en plus d'attention au comportement des entreprises, récompensant ou boycottant les marques en fonction de leurs valeurs. Les trois quarts des jeunes déclarent ainsi prendre en compte ce critère lors de leurs choix d'achat[83]. Et, la tendance s'affirmant, les exemples deviennent légion. En 2020, c'est la marque suédoise Oatly qui fait face à un boycott des consommateurs. La raison ? L'acquisition de 10 % de la société pour deux cents millions de dollars par le fonds d'investissement Blackstone, accusé d'être à l'origine de la déforestation massive en Amazonie...

L'interconnexion consécutive à la mondialisation a donc fait surgir un nouveau pouvoir « politique », au sens de « ce qui agit dans et sur la Cité » : celui des consommateurs et de leurs associations. Ce phénomène actuel doit pouvoir être analysé : il comporte des éléments positifs à favoriser et des excès à combattre. Il est en revanche encourageant de réaliser que l'achat est non seulement un acte économique, mais aussi, et toujours plus, un acte moral. Le consommateur détient donc une responsabilité sociale individuelle qui répond à la responsabilité sociale de l'entreprise.

Les actes de mobilisation citoyenne

Parmi les voies d'action et les canaux d'opinion existants en France, la mobilisation est facilitée grâce à l'émergence de plateformes telles que Change.org, MesOpinions.com ou celle de l'Assemblée nationale. Toutes permettent en effet de signer des pétitions en ligne sur le sujet de son choix. La mission que s'est donnée Change.org, qui regroupe plus de trois cent millions d'utilisateurs et des millions de signataires tous les mois, est de ce point de vue de « donner à toute personne le pouvoir de créer le changement qu'elle souhaite voir ». Les sujets proposés sont très variés, allant de la justice économique et pénale à la protection de l'environnement, en passant par les droits de l'Homme, l'éducation, les animaux, la santé ou l'alimentation durable. Par exemple, la pétition intitulée « Pour une baisse des prix du carburant à la pompe » a réuni pas moins de 1,27 million de signatures en 2018, et a notamment représenté l'un des déclencheurs du mouvement des Gilets jaunes. Celle demandant un recours en justice contre l'État français pour inaction climatique, lancée par quatre ONG en 2018, a recueilli plus de 2,3 millions de signatures – du jamais vu en France. L'État a d'ailleurs dû rendre des comptes : le

10 juillet 2020, une décision historique a été rendue par le Conseil d'État. Elle enjoignait à l'exécutif de prendre dans les six mois toutes les mesures nécessaires à la réduction des niveaux de pollution de l'air dans huit zones en France, sous peine d'une amende record de dix millions d'euros par semestre de retard. En février 2021, l'État a même pour la première fois été reconnu coupable par la justice d'inaction climatique. Grâce à ces plateformes permettant de rassembler les citoyens, ceux-ci peuvent désormais se coordonner beaucoup plus facilement et demander des comptes. Une preuve de plus qu'en tant que simples citoyens, nous pouvons agir. Selon la formule de Sarah Durieux, directrice de Change.org en France : « La pétition peut recréer du lien entre élites et citoyens, on a trouvé un nouveau moyen d'interpeler le gouvernement. »

Au cours de cette exploration des quatre sphères qui régissent notre société, j'ai constaté que de nombreuses personnes de bonne volonté agissent déjà sans relâche à l'échelle de leur quartier, de leur village ou de leur communauté.

Sur le temps long, ces initiatives ont un impact considérable. Les résultats n'ont pas été atteints grâce aux seuls multimilliardaires finançant des programmes humanitaires, mais aussi grâce aux millions de citoyens qui ont décidé d'agir au quotidien à leur échelle.

En tant qu'employé, dirigeant, activiste, journaliste, politique, consommateur ou simple citoyen, je suis parvenu à cette conclusion : nous pouvons tous agir à notre propre échelle.

Partie III

Ce que j'espère

Voyage en 2050

Ce matin-là de 2050 n'était pas un matin comme les autres. La combinaison de nuit de Sofia n'était pas encore désactivée que la jeune fille était déjà debout. Elle s'était ensuite empressée de monter dans l'hyperloop pour monter au 1434e et dernier étage de la tour en forme de palmier qu'elle habitait avec ses parents et ses deux petits frères.

Malgré son masque anti-pollution, elle avait pu apercevoir au loin les premiers rayons de soleil qui doraient sa ville natale, poumon technologique du monde. Cette cité, bâtie sur les anciens quartiers nord de Marseille, avait pris le nom d'Éden en raison des innombrables bâtiments aux formes végétales qui y avaient poussé les trente années précédentes. Sans parler de l'imposant stade de football en fleur de lotus dont les pétales filtraient la pollution de l'air, ou du *business district* et ses quatre-vingt-sept tours surplombant le reste de la ville. Le feuillage artificiel de cette forêt de baobabs géants captait la lumière pour la convertir en énergie, tandis qu'un habile système de récupération d'humidité pourvoyait en eau les bâtiments.

Comme à chacun de ses anniversaires, Sofia savait que Baptiste, son parrain adoré et ami d'enfance de son père, viendrait la chercher pour aller observer les étoiles depuis la Lune. À présent qu'elle avait dix-huit ans, elle était enfin en âge de piloter le Lybus, ce petit module volant en forme de libellule que Baptiste utilisait pour tous ses déplacements... Cette fois elle aurait le droit de conduire, il le lui avait promis ! Si elle se réjouissait de fêter son anniversaire avec son parrain, elle attendait surtout le week-end avec impatience pour lui faire part des projets qui la travaillaient depuis des semaines.

Parce que, cette année, elle allait aussi passer un cap : l'année des dix-huit ans était celle de l'orientation et du choix des études supérieures. Son rêve était clair : rejoindre la prestigieuse Atlantic University, l'école des *changemakers*[84]. Muhammad, prix Nobel de la Paix à trois reprises pour la création du Parlement écologique mondial (PEM), en était issu ; mais aussi Soufiane, l'inventeur du moteur supersonic à eau salée, ou Marie-Anne, icône de l'inclusion sociale depuis qu'elle avait persuadé l'ensemble des États à s'engager via une charte contraignante à assurer la sécurité des minorités sur leur territoire. Pour intégrer cette école d'excellence, le processus de sélection était pourtant rude. Sur douze millions de candidatures du monde entier, seuls trois cent cinquante étudiants seraient retenus. Les critères de sélection ne reposaient pas sur le CV ni sur le réseau des parents, mais sur une approche holistique, la plus équitable possible, considérant tous les aspects de la personnalité des candidats. L'autre particularité de l'école résidait dans le fait que 60 % des étudiants bénéficiaient d'une bourse d'études financée par les parents des 40 % restants, en mesure de payer la scolarité de toute la promotion. Le succès entrepreneurial du père de Sofia la plaçait *de facto* dans la seconde catégorie. Il faudrait donc que sa candidature soit, au sens propre, « remarquable ».

Presque chaque nuit, la jeune fille faisait le même rêve. Vêtue de l'uniforme de l'Académie, elle déambulait dans la salle commune aux longues tables de chêne dignes de Poudlard puis rejoignait le grand amphithéâtre. Là-bas, assise parmi ses camarades issus des sept continents et des deux premières colonies sur la Lune et Mars, elle suivait avec passion un cours sur l'énergie moléculaire donné par Steve, un chercheur chevronné surnommé Professeur Nimbus. Lui succédait Daniel, jeune prodige aux cheveux orange à peine plus âgé qu'elle, qui entraînait les élèves dans le monde des algorithmes quantiques. Malheureusement, tout cela ne restait encore qu'un rêve...

Avant d'envoyer sa candidature, il ne restait plus à Sofia qu'une étape : enregistrer une vidéo-hologramme où elle répondrait à la question suivante : « Que veux-tu faire pour contribuer positivement à la société ? » Et là, panne sèche. Depuis des semaines, l'inspiration se refusait à elle. Stressée, Sofia restait bloquée car les enjeux lui paraissaient immenses : non seulement intégrer l'école de ses rêves, mais aussi répondre à la question. Que pouvait-elle apporter au monde ?

Un doux picotement à l'arrière de la tête la sortit soudain de ses rêveries. Sa puce télépathique venait de s'activer pour lui communiquer un message. « Salut ma filleule, je suis en route. Je serai là dans une minute ! » En effet, Sofia eut juste le temps d'apercevoir un petit point noir qui grossit à vue d'œil à mesure qu'il s'approchait. Le module acheva sa course par un atterrissage vertical et silencieux sur la cime du bâtiment palmier. En un instant, le véhicule ferait ainsi le plein d'eau salée sur la station de rechargement. Le cockpit s'ouvrit par le bas, et Baptiste en sortit avec dans les bras un *vegan cake* aux carottes sur lequel dix-huit lucioles se trémoussaient sur l'air incontournable du « Joyeux anniversaire ». Et Sofia rosit de plaisir.

Une fois le gâteau englouti, Baptiste annonça son plan d'anniversaire parrain-filleule. « Qui dit anniversaire spécial dit week-end spécial. Cette année, changement de programme. Je te propose une randonnée dans le massif du Vercors. Un de mes amis qui travaille au PEM a pu m'obtenir deux autorisations pour pénétrer dans le parc naturel. Autant dire que tu peux laisser tout ton attirail technologique, pareil pour ton *wallet* de Lytcoin. » Baptiste lui envoya un clin d'œil. « File préparer tes affaires, je t'attends ! »

Surexcitée, Sofia déboula dans sa chambre et enfila des affaires chaudes. Dix minutes plus tard, le cockpit du Lybus se refermait sur eux. Et ils prenaient à grande vitesse la direction du Vercors.

Sofia profita du trajet pour partager avec son parrain ses interrogations, et notamment la question à laquelle elle devrait répondre. Lorsqu'elle se tut, un rire profond et affectueux secoua l'appareil. Puis Baptiste lui déclara : « Décidément, tu n'es pas la fille de Reb pour rien ! Le dicton "Tel père, telle fille" se confirme une fois de plus. Ton père se posait exactement les mêmes questions il y a quarante ans ! »

Au même moment, le Lybus entama une descente rapide en direction de la station de ski d'Autrans, abandonnée depuis de nombreuses années à cause du réchauffement climatique. L'appareil finit par se poser en douceur sur l'herbe.

Le Chasseur et le Bouquetin

La différence est une force lorsqu'elle est comprise et acceptée.

Impatiente de cette première randonnée en montagne, Sofia s'empressa de sauter du cockpit pour inspecter les alentours. Elle avait à peine fait quelques pas qu'une voix rauque déchira le silence.

« Qui va là ? Veuillez me présenter vos laissez-passer. Vous êtes sur le point d'entrer en zone écologique protégée. » Un homme moustachu à la carrure imposante, fusil de chasse en bandoulière, les fixait sans sourciller.

À ses côtés se tenait un majestueux bouquetin, presque aussi grand que lui, auquel ses longues cornes donnaient l'allure d'un roi. L'animal reconnut Baptiste et, baissant l'échine, leur souhaita la bienvenue. Après quelques embrassades et un échange de conseils sur le chemin à emprunter, Baptiste et Sofia se mirent enfin en route. À peine eurent-ils tourné au coin du sentier que Sofia céda à la curiosité : « Tu les connais ? Mais d'ailleurs que peuvent faire ensemble un chasseur et un bouquetin ? » Baptiste lui adressa un sourire en coin. « Oui, c'est une histoire peu commune, même si elle date de plus de trente ans. »

Baptiste lui raconta qu'il connaissait le vieux chasseur, dénommé Robert, depuis l'école primaire. Au fil des années, Robert s'était rapidement passionné pour la chasse en haute montagne, une tradition familiale qu'il pratiqua à outrance. Au fil du temps, il cherchait toujours le trophée le plus prestigieux, s'engageait dans les traques les plus périlleuses. À tel point qu'il finit par gagner son surnom de « bourreau du Vercors ». Un soir d'hiver, il partit chasser seul sur les pentes au-dessus d'Autrans, sur les traces du plus beau bouquetin de la région. Et, au terme de la poursuite, alors qu'il épaulait et s'apprêtait à faire feu, il fut soudain pris dans un éboulis et se retrouva immobilisé, incapable de dégager sa jambe gauche. Et l'impensable se produisit : le même bouquetin qu'il allait tuer trouva le moyen de prévenir les secours, lui évitant ainsi de mourir de froid. « Depuis ce jour, conclut Baptiste, chasseur et bouquetin forment un duo inséparable et s'assurent ensemble du bon équilibre du parc naturel. »

Baptiste profita d'un rocher chauffé par le soleil pour leur offrir une pause. Après avoir tendu sa gourde à Sofia, il reprit le fil de son récit. « Le point intéressant de cette histoire, c'est qu'elle démontre que les préjugés et les rôles auxquels on se sent assignés ne tiennent pas longtemps à l'épreuve du réel. Aujourd'hui, Robert et le bouquetin régulent ensemble les troupeaux qui se partagent ces massifs. Ton père aussi a compris très tôt cette vérité : la différence devient complémentarité dès que l'on dépasse ses peurs et ses incompréhensions face à l'autre. C'est avec cet état d'esprit que Reb a fondé un empire. »

Son père adoré n'ayant jamais été très bavard sur sa carrière professionnelle, Sofia encouragea Baptiste à lui en dire plus. Les marcheurs se remirent debout pour s'engager sur le chemin du refuge de la Molière, départ de l'ascension de la falaise de la Sure. Tout en évitant soigneusement ornières et rochers à fleur de sentier, Baptiste se replongea dans ses souvenirs. « Lorsqu'il avait dix-huit ans, ton père n'était pas différent des autres garçons de sa classe. Loin d'être le plus travailleur, il a quand même réussi à intégrer une école d'ingénieur post-bac. Dès la rentrée, il a fait la connaissance de Loubna, jeune et brillante Marocaine, drôle et pleine d'énergie. Il n'a fallu que quelques semaines pour que Reb, issu d'une famille catholique du nord de la France, et Loubna, musulmane originaire de Casablanca, tombent amoureux. Leur histoire a duré plusieurs années et s'est nourrie de leurs différences. Ils avaient tous deux soif de se découvrir, dans un grand respect mutuel. Malheureusement, le jour est venu où Loubna s'est ouverte de son bonheur à son père... qui a aussitôt posé un véto à leur union. Imagine la surprise et la blessure infligée à Reb lorsqu'il l'a appris... Mais comme il voulait comprendre, il a cherché à découvrir cette religion qui n'était pas la sienne. Puisqu'il ne connaissait aucun musulman, il a décidé de se rendre à la mosquée la plus proche de chez lui, à Roubaix. Mal à l'aise dans son polo au milieu des *qamis* et des *kufi*, il a pourtant été immédiatement accueilli par le directeur de l'école coranique, un homme qui avait repéré son embarras et était disposé à l'aider. En quelques semaines, Reb a appris le sens des ablutions rituelles comme celui de la sourate Al-Fatiha. Il a reçu des réponses à toutes ses questions, et même participé à plusieurs fêtes au sous-sol de la mosquée. Au contact de cette communauté bienveillante et chaleureuse, Reb a compris les réserves du père de Loubna. Tout en restant persuadé qu'elles ne constituaient pas un obstacle insurmontable. Pourtant, le père de Loubna s'est montré inflexible ; et sa grand-mère est allée jusqu'à espionner sa petite-fille et débarquer sans prévenir, l'embarquant notamment sans prévenir chez le gynécologue pour s'assurer qu'elle était encore vierge. En dernier ressort, la famille a fini par poser un ultimatum : si Loubna choisissait son amour pour Reb, elle serait définitivement rejetée par les siens. Cette rupture a été tellement pénible à vivre pour ton père qu'il a mis près de dix ans à tourner la page. »

Baptiste adressa alors un grand sourire à sa filleule : « Loubna lui a néanmoins laissé un trésor : à son contact, Reb a découvert la force extraordinaire qu'offre la différence lorsqu'elle est vécue dans la simplicité et dans l'accueil de l'autre. Ce trésor, les parents de Loubna ont refusé de le reconnaître. Mais le temps que Loubna et Reb ont passé ensemble, l'effort qu'ils ont fait pour s'expliquer leurs traditions, cultures et religions mutuelles, leur disposition d'esprit et de cœur... Tout cela leur a permis de dépasser tous les préjugés. »

Le Berger et la Chèvre galeuse

Nous ne naissons pas tous égaux, et ce sont souvent les gens que l'on suppose incapables qui réalisent des choses extraordinaires.

Sofia se reposait, assise à califourchon sur un tronc d'arbre. Elle venait d'avaler ses pastilles nutritives, et s'apprêtait à dévorer une part de tarte aux fraises naturelles – un plat de luxe. Une vive douleur à la fesse la fit soudain se lever d'un bond. Ahurie, elle découvrit qu'elle venait d'être mordue par... une chèvre noire ! Celle-ci était suivie par son berger qui, parvenu à leur hauteur, s'excusa et offrit à Sofia un baume pour l'apaiser. Il lui montra également trois chevreaux dissimulés sous les fougères – trois bonnes raisons pour la chèvre noire de se montrer agressive.

Celle-ci, expliqua le berger, faisait office de chien de berger et s'appelait Charbon. Son histoire était celle d'un animal différent depuis sa naissance : malingre et faible, elle avait été ostracisée pendant des années. Jusqu'au jour où deux loups étaient venus rôder autour du troupeau. Tout le troupeau avait resserré les rangs pour faire face, sauf deux cabris qui manquaient à l'appel. Sans hésiter, Charbon était alors partie à leur recherche en bravant le danger. Au petit matin, la chèvre noire les avait ramenés au sein du troupeau. Et, ce jour-là, elle était devenue la guide de ses congénères. Tout cela parce que cet animal, faible et mal aimé, s'était pourtant révélé dans l'épreuve le plus courageux de tous.

Sofia réfléchit un instant. « Cette histoire me fait penser au dicton préféré de Papa : "Soyez conscients de la chance que vous avez, car nous ne naissons pas tous égaux." » Baptiste se retourna vers elle et esquissa un sourire avant de lui répondre. « Vous a-t-il déjà raconté la fois où il a failli se faire poignarder pour un téléphone portable ? » Devant l'air interdit de Sofia, il commença son récit : « C'était un soir d'été, Reb se rendait pour le week-end chez ses parents. En sortant du métro, un jeune banlieusard de son âge a cherché à lui arracher son téléphone. Sans réfléchir, Reb s'était écrié : "Tu n'as pas intérêt à me prendre mon téléphone !" L'autre a froncé les sourcils en approchant son visage lacéré d'une grosse balafre. "Sinon quoi ?" Instinctivement, Reb s'est mis à rire en lui expliquant pourquoi son téléphone ne valait pas un clou... et le voleur a fini par l'imiter. Ils ont alors longuement discuté. Et c'est à ce moment-là que Reb a compris que, vraiment, on ne naissait pas tous égaux. À vingt ans, son interlocuteur venait de passer quatre ans en prison pour avoir poignardé quelqu'un. Il n'avait d'ailleurs pas manqué l'occasion d'exhiber fièrement son couteau à cran d'arrêt, et de montrer à Reb l'endroit sous la carotide où il l'aurait planté s'il avait résisté. Ce n'est qu'un peu plus tard que ton père a réalisé ce qui venait de se passer : pour un simple téléphone portable, il avait frôlé la mort. Mais, surtout, il avait rencontré un type de son âge qui n'avait déjà plus de rêves et prévoyait déjà de "retourner au trou". Cette aventure a changé ton père. Il s'est juré de ne plus jamais se plaindre des contrariétés de sa vie confortable. Et de faire de son mieux, à son niveau, pour aider à distribuer les cartes de sorte que chacun puisse avoir sa chance. »

Sofia fit rapidement le lien avec l'une de ses personnalités préférées de la galaxie. « Cela me fait penser à Marcelo, le fondateur de la start-up de taxis spatiaux DrivX. Il est encore intervenu récemment pour encourager les chefs d'entreprise à embaucher des personnes qui jusque-là n'ont pas eu une vie facile. Il vante souvent leur persévérance, leur énergie dans les situations périlleuses. Ces personnes peuvent réaliser des choses inimaginables ! » Baptiste acquiesça en souriant. Décidément, réalisait-il peu à peu, sa filleule était plus mûre qu'il ne l'avait imaginé.

La Technologie et la Cigogne

Replacer la personne humaine car elle a de la valeur.

Cela faisait plusieurs heures que Sofia et son parrain grimpaient. Entre deux conversations passionnantes, Sofia aperçut brusquement une vieille bâtisse de tôle rouillée sur laquelle trônait encore une gigantesque antenne 15G à demi recouverte de mousse et d'herbes folles. Lorsqu'ils se furent approchés, Sofia déchiffra sur son socle une inscription presque effacée : « La technologie au service de tous les défis mondiaux ». Ce slogan était entouré des logos de Big Brother et de Gekko Capital.

Cet objet insolite surgissait d'un passé pas si lointain, une époque au cours de laquelle Big Brother, le moteur de recherche, et Gekko Capital, le géant financier, exerçaient leur monopole sur le monde... Peu avant de disparaître corps et biens. Les raisons de leur anéantissement tenaient principalement à la chimère que ces entreprises avaient poursuivie :

l'idée selon laquelle à chaque problème, fusse-t-il d'ordre social ou psychologique, répondait une solution technologique ou financière. Pendant un demi-siècle, les deux multinationales avaient rivalisé d'ingéniosité pour concevoir et vendre des produits numériques et financiers de plus en plus complexes. Dans cette course technologique effrénée, elles avaient perdu de vue la mission première de toute entreprise : agir pour le bien commun. Sofia se souvenait très bien de ce jour où les deux entreprises avaient annoncé en grande pompe les budgets mirifiques consacrés « à la transition écologique et au bien-être des hommes ». Ce qui devait surtout servir à dissimuler un projet beaucoup moins honorable : leur volonté d'accroître toujours plus leur emprise sur le marché mondial.

Sofia jeta un rapide coup d'œil à l'intérieur du bâtiment. Et, à sa grande surprise, se retrouva nez à bec avec une cigogne. Le gracieux volatile la fixa un instant, puis interrogea la jeune fille : « Sais-tu pourquoi cette baraque est à l'abandon ? » Sofia hocha la tête en signe de dénégation. Alors, l'oiseau raconta. Une fois par an, sa nuée migrait entre l'Europe et l'Afrique en passant par le sommet de la Sure. Un chemin que les oiseaux effectuaient sans encombre, à l'exception des dangers habituels que constituaient leurs prédateurs naturels. Jusqu'à ce jour, vingt ans plus tôt, où Big Brother et Gekko Capital mirent en service cette tour d'émission. Ses ondes à très haute fréquence désorientèrent aussitôt les oiseaux, guidés par le seul magnétisme terrestre, qui empruntaient jusque-là cette route pour atteindre le sud du Sahara. Ce premier hiver, des milliers de volatiles moururent de froid, bien loin des savanes qui leur servaient de refuge à la mauvaise saison.

Alors les survivants s'étaient concertés pour changer le cours des choses. À l'automne suivant, chaque oiseau migrateur – cigognes, bergeronnettes, canards, oies sauvages et tant d'autres – lâcha sur l'antenne ce qu'il pouvait de branchages ainsi qu'un autre genre de chargement, plus gluant et odorant.

Des équipes se relayèrent pour entretenir l'antenne... Mais, de guerre lasse, les entreprises finirent par décider l'abandon de l'installation. Parmi les employés eux-mêmes, certains avaient compris le bien-fondé de cette « révolution aviaire », entraînant une hostilité croissante pour le projet.

Sofia réalisa soudain que l'histoire de la cigogne faisait écho à Kolibro, l'entreprise fondée par Reb. À la suite d'un refus de prêt par sa banque, Reb avait en effet constaté que les banques ne prêtent qu'aux riches. Il avait aussi mesuré le besoin urgent d'une source de richesse différente des seuls revenus de capitaux reposant sur l'exploitation d'énergies fossiles ou sur des constructions financières hasardeuses. Préoccupé, il était alors tombé, le jour-même, sur un article intitulé « Le nouvel or noir, cette fameuse donnée que les géants de la technologie récupèrent gratuitement et revendent à prix d'or ».

D'un coup, une chose était devenue claire : Gekko Capital et Big Brother ne remplissaient plus les missions qui avaient présidé à leur création. L'un ne prêtait plus d'argent aux entrepreneurs prometteurs et désargentés. L'autre ne cherchait plus à rendre le savoir accessible au plus grand nombre. Peu de temps après, une succession de crises monétaires, sanitaires et écologiques avaient mis à genou l'économie, et vingt millions de Français s'étaient retrouvés sous le seuil de pauvreté. Pour leur venir aide, Reb avait alors lancé Kolibro. Pour reconstruire les banlieues abandonnées par les pouvoirs publics et boudées par les grandes entreprises. Et pour redonner confiance en leur avenir aux jeunes qui les peuplaient. Afin de financer ce vaste projet, Reb avait eu l'intuition de s'inspirer des principes de la finance pour les appliquer à une finalité sociale et environnementale.

La première pierre de l'édifice avait été le lancement d'une banque responsable, sans coûts de fonctionnement et accessible à tous. Il s'était ensuite attelé aux grands défis auxquels étaient confrontées les personnes en situation de précarité : éducation, emploi, assurance, immobilier, etc. Vingt ans plus tard, Reb et ses équipes n'étaient pas seulement parvenus à casser les préjugés sur les banlieues ; ils en avaient fait des modèles en les transformant peu à peu, avec l'aide de leurs habitants, en *hubs* technologiques. Depuis, le « plafond de verre » avait volé en éclats. Parce que la vie n'était soudain plus organisée autour de la course au savoir ou à l'argent. Mais autour de la valorisation du bien le plus précieux : la personne humaine.

L'Ours et la Souris

Réapprendre à faire confiance : un mode de relation au cœur de la vie sociale, de la politique et du business.

Ils marchaient de nouveau depuis un moment quand Baptiste accéléra. Après un passage rocailleux, ils débouchèrent enfin sur un belvédère baptisé à raison « le vertige des cimes ». Là-haut, une vue panoramique s'offrait à eux : le regard embrassait d'un coup la chaîne de Belledonne et le massif de la Chartreuse, au flanc duquel s'accrochait le monastère millénaire de la Grande Chartreuse. À l'horizon, on pouvait même apercevoir le sommet du mont Blanc et les quelques glaciers qui avaient résisté au réchauffement climatique. Baptiste tendit sans un mot une paire de jumelles à Sofia. Saisie par la majesté des lieux, la jeune fille absorbait des yeux tout ce qui l'entourait. Pourtant, tout à coup, elle se figea.

À cinquante mètres d'eux, elle venait de repérer une énorme tâche de couleur sombre : un immense ours brun endormi. Lorsque Sofia ajusta ses jumelles, elle n'en crut pas ses yeux : sur la tête de l'animal, une petite souris des montagnes dormait paisiblement. Trahis par la brise, qui porta leur odeur vers lui, Sofia et Baptiste provoquèrent le réveil de l'ours. Mais ce plantigrade, comme les autres aux alentours, savait qu'il ne craignait rien des hommes. C'est donc d'un pas nonchalant qu'il vint à leur rencontre.

Il leur demanda aimablement : « Bonjour, puis-je vous aider ? » Instinctivement, Sofia répondit : « Mais... comment se fait-il qu'une souris trône sur votre tête ? » Les deux animaux éclatèrent de rire, partageant une complicité manifeste. La souris prit enfin la parole : « Excuse-nous, mais tu aurais dû voir ta tête ! Je t'explique. Nous avons subi il y a quelques années une invasion de tiques. Mon compère l'ours en souffrait terriblement. Un jour je l'ai trouvé à moitié mort, ensanglanté à force de se frotter aux arbres, gémissant et appelant à l'aide. Je lui ai alors retiré un à un ses parasites en échange de la promesse qu'il me protège à l'avenir, et ne cherche pas à me croquer une fois ma besogne achevée. Depuis, nous ne nous sommes plus quittés. Et nous veillons l'un sur l'autre. »

Quelle excursion pleine de surprises ! Pourtant, le souvenir de sa candidature hantait encore Sofia. Après avoir salué les deux animaux, parrain et filleule s'engagèrent de nouveau sur le sentier. Et Sofia reprit la conversation interrompue. « Baptiste, l'histoire de cette souris capable de faire confiance à un ours est plutôt incroyable. Est-ce un peu la même chose dans la vie ? Peut-on vraiment faire confiance à tout le monde ? » Le parrain marqua une pause. « Plutôt que te répondre immédiatement, je préfère te raconter la manière dont ton propre père a constitué sa première équipe. Lorsqu'il a été sur le point de lancer Kolibro, Reb s'est mis en quête de partenaires. Il voulait recruter les meilleurs talents, mais aussi des personnes capables de cultiver et incarner les valeurs cardinales de son entreprise : confiance, ouverture d'esprit et audace, trois vertus qu'il a ensuite détaillées dans sa "Charte de confiance". Par cette profession de foi, Reb a pris lui aussi l'engagement de suivre certaines règles en tant que dirigeant. Le préambule ressemble à peu près à cela :

"Comme dirigeant de Kolibro, à toi qui travailles pour cette entreprise, voici mes engagements :

1) Je ne te laisserai pas tomber même si tu devais quitter l'entreprise.

2) Je contribuerai à ton épanouissement professionnel en donnant du sens à ton travail et en te fournissant les moyens d'être efficace.

3) Je serai juste dans l'exercice de mes responsabilités et je chercherai à servir avant de vouloir me faire obéir.

4) Nous formerons une communauté solide et unie, à l'image d'une cordée en montagne ; je privilégierai la bonne entente et le bien-être de chacun à la rentabilité à tout prix.

5) Ensemble, nous accomplirons l'impossible."

Ton père était convaincu que, pour construire une culture forte, il fallait privilégier la complémentarité dans la sélection des talents. Alors il n'a pas cherché des CV, mais des profils de battants. De personnes qui veulent avancer et apprendre, et qui refusent de baisser les bras. Son associée Karima, cofondatrice de Kolibro, incarne exactement cela. Elle a grandi à quelques rues de chez Reb. Pourtant, ils ne se connaissaient pas avant que, une fois adultes, un ami les présente. Ce qui les séparait était plus que quelques rues, c'était un monde. L'un habitait une rue pavillonnaire, calme et paisible. Il fréquentait le "lycée des minets", une école privée qui lui avait permis d'obtenir le bac et de continuer ses études. L'autre essayait de survivre dans un quartier réputé pour la violence qui enflammait régulièrement ses barres de béton, laides et gangrenées par la misère. Elle avait quitté le collège à seize ans, vécu à la rue et fait de la prison. À vingt-cinq ans, elle a décidé de reprendre son destin en main. Elle a décroché un poste de commerciale pour vendre des capsules de café au porte-à-porte. Et elle ne s'est jamais découragée malgré les refus et les journées de travail éreintantes ou infructueuses. Elle a persévéré jusqu'à grimper les échelons et être repérée puis recrutée par une start-up valorisée à plusieurs milliards d'euros. En quelques années aux côtés de Reb, Karima a réussi à implanter l'entreprise dans cent soixante-seize pays ! »

Baptiste s'interrompit une seconde pour permettre à Sofia de réaliser. « Peu à peu, d'autres personnalités atypiques ont décidé de rejoindre l'entreprise. D'abord Inès, d'origine libanaise, numéro deux de l'entreprise, issue de la plus prestigieuse école d'ingénieurs et très engagée sur le sujet de la place des femmes dans le monde professionnel. Puis Jordan, le directeur des nouvelles technologies (CTO). Lui aussi n'a pas ménagé sa peine pour en arriver là : il a financé ses études d'informatique en vendant des porte-clefs tour Eiffel aux touristes. Et il est devenu par la suite une référence mondiale dans le domaine de l'intelligence artificielle. Reb a placé sa confiance en eux parce qu'il savait que ce genre de personnalités, forgées dans les difficultés, seraient fiables. Et infiniment dignes de confiance. »

David et Goliath

L'importance de l'alignement de toutes les parties prenantes autour d'une cause qui les dépasse.

Le soleil commençait à disparaître derrière le massif montagneux, et l'air fraîchissait. Le refuge de la Molière n'était plus très loin, juste derrière la prochaine arête rocheuse. Sofia, épuisée, rêvait de s'affaler dans l'herbe et de tremper ses pieds nus dans un ruisseau. Mais sa persévérance fut récompensée. Ils furent chaleureusement accueillis par un jeune couple vertacomicorien, nom des habitants du Vercors, qui selon la tradition avaient repris la gestion du refuge familial. Le parrain et sa filleule visitèrent le dortoir qu'ils partageraient le soir avec deux couples de randonneurs. Puis ils s'attablèrent enfin autour de la longue table de pin pour le dîner.

Alors qu'il faisait déjà nuit, un homme d'un certain âge entra dans le refuge. Les hôtes l'accueillirent d'un « Bonsoir Goliath » sonore, et le nouveau venu s'assit aussitôt avec eux. Bien que ses cheveux fussent gris, sa taille, sa stature, tout en lui respirait la force et la vigueur. Cet homme, qui s'appelait en réalité Bertrand, se tourna vers Sofia un peu intimidée. « Connais-tu l'histoire de David et Goliath ? Moi, j'ai vécu la même histoire. Heureusement, la fin a été différente. » Et il termina sa phrase dans un grand rire.

Entre deux larges bouchées de gratin de macaronis, Bertrand expliqua alors qu'à une autre époque, il faisait partie des meilleurs traders du monde et travaillait alors pour Gekko Capital. Après l'abandon de l'antenne 15G installée sur le massif de la Sure, on lui avait confié le rachat de l'ensemble du domaine pour le transformer en un complexe hôtelier de luxe. Or, à l'époque, le propriétaire de la plupart des terrains était un fervent défenseur de l'environnement. Comme les convictions ne suffisent pas à nourrir leur homme, il avait pourtant été forcé de les vendre, y compris le chalet où ils se trouvaient en ce moment. Bertrand débarqua donc un jour dans le domaine au volant de sa Porsche clinquante. Mais à son arrivée, David, le cadet de la famille de l'ancien propriétaire, impressionné ni par la taille ni par l'allure du financier, lui avait lancé : « Tu n'as pas intérêt à détruire la montagne, sinon je te promets que tu auras affaire à moi ! » Une menace qui avait fait rire Bertrand et ne l'avait pas empêché de conclure la vente. Quand il retourna à sa voiture après la signature, il découvrit, furieux, que ses pneus avaient été crevés et qu'il ne pourrait pas repartir de sitôt. Où trouver une dépanneuse dans cette cambrousse ?

Le père du bouillant David se perdit en excuses et offrit aussitôt d'héberger le géant le temps que sa voiture puisse être dépannée. À cette même table où ils se trouvaient aujourd'hui, Bertrand avait le soir-même rencontré pour la première fois Lucie, l'aînée de la fratrie. Le trader courroucé et peu scrupuleux s'était alors métamorphosé, subjugué par cette femme qu'il aima au premier regard. Au fil des mois et des prétextes pour revenir au chalet, Bertrand changea profondément. Il s'était laissé convaincre par David que le complexe hôtelier de luxe n'était pas une priorité. Et même, ô miracle, que cette nature généreuse et parfumée devait absolument être protégée et valorisée. Quelque temps plus tard, Bertrand épousa Lucie. Et, en une quinzaine d'années, fit du Vercors l'un des parcs naturels les plus beaux du monde. David, le précoce militant écologiste, en était aujourd'hui le directeur, et Bertrand-Goliath le président. Les services proposés aux visiteurs, par exemple sorties d'escalade, ateliers d'observation des oiseaux migrateurs ou de préparation de miel naturel, couvraient les frais de gestion du parc. Sans David, jamais ils n'auraient obtenu les autorisations nécessaires auprès du Parlement écologique mondial; sans Goliath, jamais ils n'auraient disposé des moyens de leurs ambitions.

Après le repas, quand Sofia et Baptiste sortirent admirer les derniers feux du coucher de soleil, Baptiste reprit le récit de l'épopée de Reb. « Tu sais, il avait une idée fixe : que toutes les parties prenantes au lancement de Kolibro soient actionnaires. En premier chef les employés, suivis des fournisseurs puis des clients et des ONG elles-mêmes. Il les avait sollicitées en priorité avant de proposer le reste des actions à des fonds d'investissement responsables dédiés à la stratégie à long terme.

Grâce à la *blockchain*[85], chacun put investir dans l'entreprise selon ses moyens, avec la garantie que tous seraient logés à la même enseigne. Convaincu que l'on ne portait qu'un pantalon à la fois et qu'on ne pouvait se nourrir plus de trois fois par jour, Reb ne voyait pas l'intérêt d'accumuler pour lui seul une fortune colossale. Autant en partager tout de suite les parts ! Afin de contribuer efficacement à la transformation des cités, il s'était aussi engagé dès le début de l'aventure à distribuer graduellement ses actions à mesure que son entreprise se développerait. Jusqu'à céder 80 % de ses actions si l'entreprise atteignait un jour une valorisation de dix milliards d'euros. Ce qu'il n'avait pas anticipé, c'est qu'au fil des années Kolibro serait rebaptisée par les journalistes la « huitième merveille du monde ». Et qu'elle finirait par être évaluée à plus de dix mille milliards d'euros !

Le Loup et la Meute

Le leadership du service et de la confiance plutôt que celui du donneur d'ordres.

Un peu avant l'aurore, Baptiste et Sofia s'habillèrent en veillant à ne pas réveiller les bienheureux dormeurs. Ils prirent ensuite un café et saluèrent leurs hôtes dans la salle commune. En sortant du refuge de la Molière, ils empruntèrent un chemin sinueux qui menait aux crêtes de la Sure. Le ciel sombre était immaculé et laissait augurer un splendide lever de soleil. Quelques centaines de mètres plus haut, les sapins cédèrent le pas à une vue époustouflante sur le massif de la Chartreuse et la ville d'Échirolles, tapie dans la vallée. Après avoir enduré un rude exode de sa jeunesse, la ville avait connu un regain d'activité lorsque le gouvernement avait interdit le chauffage au gaz. De nombreux habitants avaient alors opté pour des chaudières à bois à haut rendement, produites sur place.

Baptiste finissait d'étaler sa culture locale quand un hurlement de loup déchira brusquement le silence du matin. Quelques mètres en contrebas de leur position, une meute d'au moins vingt-cinq loups s'acheminait vers le sommet. Observant l'ordre de marche de la troupe, Sofia demanda à Baptiste qui en était le meneur. Baptiste montra alors du doigt les trois premiers animaux. D'après lui, ce devaient être les plus vieux ou les plus malades. « Ce sont eux qui donnent le rythme à la meute. Ainsi, en cas d'attaque, ils ne seront pas distancés par les autres. Derrière eux, tu peux voir les cinq loups les plus forts, suivis du reste de la meute, notamment louves et louveteaux. Enfin, regarde le loup qui ferme la marche : c'est lui le chef, celui qu'on appelle le "mâle alpha". »

Baptiste désignait en même temps un loup blanc comme neige, dont la stature disait la force et dont les muscles puissants se contractaient à chaque pas. Alors que Sofia le fixait toujours, il s'arrêta net et lança un regard vers la jeune fille. Puis il lança un long hurlement repris par toute la meute à l'unisson. Le moment était magique, sublime d'harmonie... Si seulement Sofia avait emporté son drone vidéo, elle aurait partagé cette scène avec ses amis. Baptiste reprit : « Depuis sa position en arrière, le leader garde toute la meute à l'œil. Il décide de la direction, impose l'esprit d'entraide et veille à ce que personne ne soit abandonné. Quelle plus belle leçon de leadership ? »

Une fois la meute évaporée dans le lit d'une rivière asséchée, Sofia parut se réveiller. « Je connais un bon leader, un bon chef de meute : c'est mon père. Il sait fédérer des personnes autour d'une vision de l'entreprise et du monde. Il ne craint pas de s'entourer de personnes plus fortes que lui et qu'il parvient à faire travailler ensemble pour qu'elles donnent le meilleur d'elles-mêmes. » Une parole sage, que Baptiste s'expliqua aisément : Sofia avait en effet grandi au contact d'une entreprise vraiment atypique.

Kolibro s'était fortifiée lors d'une période de progrès technologiques considérables. Pour placer d'emblée son entreprise dans la bonne dynamique, Reb avait tenu à lui insuffler un esprit d'« innovation ». Dans sa langue à lui, il s'agissait moins de présenter une version vaguement évoluée des mêmes produits que de chercher à repenser le modèle même de l'entreprise en l'adaptant à l'époque et aux besoins réels de ses clients. Constatant la vitesse à laquelle la technologie progressait, l'innovation ne pouvait qu'être la préoccupation prioritaire de chacun, à plein temps et tous les jours. Chaque employé devait pouvoir contribuer à l'amélioration constante de l'entreprise. Par exemple, lorsque l'un d'entre eux avait une idée, il lui fallait convaincre trois collègues d'autres équipes pour avoir le droit de tester son concept. Mais comment impliquer ainsi chaque collaborateur et partie prenante dans un exercice habituellement réservé à un département Stratégie?

C'est pour répondre à cette question que Reb avait présenté aux salariés le plan RTF: Responsabilité, Transparence, Franchise. «Je ne viens pas vous tenir le discours d'un chef à ses collaborateurs, mais vous proposer une collaboration. Parce que j'ai besoin de vous, et que vous savez mieux que moi ce qu'il faut faire. Oui, vous, au service après-vente: vous connaissez Kolibro mais aussi nos clients. Vous savez ce qu'il faut améliorer, alors je suis venu vous dire que je suis à votre service. Aiguillez-nous, proposez des stratégies auxquelles nous ne pensons pas, stimulez l'énergie de toute l'entreprise!» Pour responsabiliser chacun, Reb avait supprimé la plupart des processus de validation entre employés et managers. Par exemple, lorsqu'un client n'était pas satisfait, l'employé du service client avait carte blanche pour trouver une solution qui ménage l'intérêt de Kolibro. Dans cette perspective, les documents stratégiques de l'entreprise, dont l'accès était ailleurs réservé à quelques privilégiés, se trouvaient chez Kolibro à la disposition de tous les employés.

Reb n'était pas un doux rêveur, mais un pragmatique. Il avait compris qu'un individu responsabilisé était une personne impliquée dans son travail. La dilution de la responsabilité, au même titre que les disparités managériales et salariales, était la source de la plupart des maux gangrénant les grandes entreprises: absentéisme, burn-out, stress... Afin de promouvoir la franchise et de permettre à chacun de progresser, Reb avait décidé d'accorder une importance de premier ordre aux retours d'expérience, qu'il estimait enrichissants à tous les niveaux. À partir du moment où les employés s'étaient habitués à échanger des retours constructifs avec leurs collègues, la performance collective s'était aussitôt largement améliorée.

Le Hippie et le Kola-Kola

L'économie sociale et solidaire n'est plus un système pour hippies à dreadlocks.

Malgré quelques courbatures dans les mollets, Sofia se sentait bien. Plusieurs jours sans porter de masque antipollution était une expérience inédite pour la citadine qu'elle était. Et elle s'habituait à humer l'air pur à plein poumon. Après une descente en pente douce, le duo parvint au départ de l'ancienne télécabine, toujours en état de marche, montant jusqu'au sommet de la Sure. En dehors des films d'époque, Sofia n'en avait jamais vu de ses propres yeux car l'invention des navettes volantes avait rendu toute ascension dix fois plus rapide. Devant l'ancien portique de contrôle des forfaits, elle s'avança comme une skieuse de jadis. Puis, une fois assise à l'intérieur de la cabine, elle découvrit une affiche défraîchie montrant un hippie aux longues dreadlocks en train de savourer une bouteille de Kola-Kola. Une publicité dont Baptiste fredonna aussitôt le *jingle*, un titre de Ziggy Brown, un célèbre chanteur hippie de reggae. Depuis la campagne publicitaire de Kola-Kola, les deux premiers accords du *jingle* suffisaient à évoquer la célèbre marque de boisson.

À l'époque, le géant de la boisson énergisante n'avait en effet pas lésiné sur sa communication. Toute la cabine était peinte aux couleurs de la marque, tout comme chaque poteau jusqu'au sommet. Sofia se montrait d'autant plus intriguée par cette surenchère colorée que, depuis 2037, tous les panneaux d'affichage, tracts ou supports publicitaires matériels avaient été interdits. Cela avait obligé les entreprises à investir dans des canaux numériques, comme les assistants virtuels captant la voix ou les controversés casques de télépathie gratuits capables d'anticiper – ou d'insuffler – des envies à leurs utilisateurs. Baptiste raconta à Sofia qu'à l'époque, les entreprises comptaient principalement sur le « marketing de masse » et inondaient le monde de publicités, y consacrant parfois même près d'un quart de leur chiffre d'affaires !

Aux antipodes de ce monde qui achetait à Big Brother de l'espace publicitaire digital, on trouvait la galaxie des associations. Reb avait constaté qu'elles étaient très efficaces pour fédérer et motiver les communautés où elles s'étaient implantées. En revanche, elles manquaient la plupart du temps de financements fiables et récurrents. Lorsque Mamadou avait rejoint Kolibro comme directeur marketing, Reb lui avait alors lancé un défi de taille : inventer un marketing d'un type nouveau. Dorénavant, il faudrait d'abord compter sur les associations, qui toucheraient l'équivalent de l'ancien budget marketing pour relayer la communication de l'entreprise. Convaincu que l'économie sociale et solidaire n'était pas réservée aux hippies à dreadlocks, Reb avait également pressenti que les associations pourraient toucher un public aussi large que les magnats du numérique. À condition bien entendu qu'on leur donne les moyens de leurs ambitions.

Après deux années de tests et de travail acharné, l'équipe de Mamadou avait mis au point ce nouveau modèle. Dès qu'un utilisateur de Kolibro achetait un produit recommandé par une association, une somme équivalente à ce que Kolibro aurait dépensé en marketing interne était transférée à l'association sous forme de don. Le client pouvait ensuite suivre l'évolution du projet dans lequel cette somme avait été investie, et il avait conscience de participer, par son achat, à la transformation des anciennes cités. Plus rentable et plus efficace que l'ancien système publicitaire, cette nouvelle manière de communiquer était rapidement devenue une référence que le public s'attendait à retrouver dans chaque entreprise. Kolibro devint ainsi en quelques années l'un des premiers contributeurs des associations actives dans les cités. Quelques années plus tard, Kolibro avait exporté ce modèle aux quatre coins du monde et rénové en profondeur des quartiers délaissés depuis les années 2000. Mais, surtout, Kolibro avait apporté la preuve qu'un tel modèle, rapprochant ainsi entreprises et associations autour d'un projet commun, pouvait se montrer rentable et devenir une vraie force de différenciation sur le marché. » Les sourcils froncés d'attention, la jeune fille buvait les paroles de son parrain alors que la cabine s'élevait dans les airs.

L'Oiseau et la Fourmi

La loyauté est une voie à double sens : si tu la demandes, alors tu la donnes en retour.

Plus tard, après avoir marché un moment en silence sur la crête, Sofia découvrit la carcasse d'un oiseau qu'une colonie de fourmis nettoyait. Ce squelette, au vu de son reste de plumage flamboyant, était celui d'un pic-bois, aussi appelé « pic-phénix ». Un bec long et puissant permettait à cette variété d'oiseau de fouiller l'écorce des arbres à la recherche de fourmis dont il se nourrissait. Au point qu'il se roulait parfois dans la fourmilière pour en engloutir des milliers en un seul repas... Un peu révulsée par le spectacle, Sofia s'adressa néanmoins à son parrain : « Dans la vie, les rôles peuvent s'inverser. De son vivant, cet oiseau était un ogre pour ces fourmis. Une fois mort, ce sont elles qui le dévorent. Cela montre que le temps et les circonstances peuvent changer à tout moment. »

Baptiste prit le temps d'une grande respiration avant de répondre : « Tu as raison, ma chère filleule. C'est la raison pour laquelle il ne faut jamais sous-estimer, manquer de respect ou blesser volontairement quelqu'un. On peut être puissant à un moment, mais il ne faut jamais oublier que les rôles peuvent s'inverser. Il suffit d'un arbre pour faire un million d'allumettes, et d'une allumette pour faire brûler un million d'arbres. »

Quelques pas plus loin, Sofia parut changer de sujet en évoquant un cadre qui trônait depuis des années sur le bureau de son père. Alors qu'il affichait d'habitude un certain détachement pour les choses matérielles, ce cadre avait pour Reb une valeur sentimentale. C'était une version de la Charte de confiance sur laquelle s'étalait une phrase manuscrite : « Nous ne te laisserons pas tomber ! Tu peux compter sur nous ! », environnée de centaines de signatures. Baptiste se souvint lui aussi de l'événement auquel l'objet faisait allusion. Il venait alors de passer de longues heures au téléphone pour réconforter Reb, qui ne pouvait se résoudre à la faillite de son projet de vie.

Kolibro commençait à l'époque à prendre son envol, étendait son activité de banque responsable dans de nouveaux pays et commercialisait sa plateforme éducative dans toutes les écoles situées en zone prioritaire. C'est alors que la catastrophe se produisit. À cette période, la grande majorité des entreprises stockaient leurs données sur le *cloud*, une solution technologique monopolisée par deux entreprises, Metropolis et Matrix. De quoi amener des hackers anarchistes, qui se faisaient appeler les « fantômes du destin » et s'étaient donné pour mission de détruire définitivement le capitalisme, à commencer par le duo de tête qui l'incarnait.

Ce matin de janvier, Reb s'était rendu comme à son habitude au bureau, en bordure de la cité des Lauriers, à Marseille. Alors qu'il allumait son ordinateur en buvant son café, le système d'exploitation de l'appareil s'était bloqué, laissant la place sur l'écran à une vidéo pixélisée : un fantôme jetant à la poubelle les deux logos des géants du *cloud*... Bien que Reb ait toujours été réticent à l'idée de confier Kolibro à Metropolis, il avait dû s'y résoudre faute de solution alternative à la fois bon marché et performante. Il passa alors un coup de fil à ses équipes techniques, qui lui apprirent que les serveurs de Metropolis avaient fondu, et que 95 % du trafic Internet mondial se retrouvait dorénavant à l'arrêt. Ce qui signifiait que, en une fraction de seconde, toutes les données de Kolibro venaient d'être irrémédiablement perdues.

Une réunion de crise du conseil d'administration de Kolibro fut directement organisée, produisant une conclusion sans appel : il fallait repartir de zéro. Zhang, la directrice financière, avait expliqué par ailleurs que l'anéantissement total du chiffre d'affaires leur laissait à peine deux mois de trésorerie pour payer les quatre cent cinquante salariés. Refusant de se résoudre à les licencier, Reb avait imaginé tous les scénarios. Mais les banques, qui se disputaient quelques semaines plus tôt pour lui prêter de l'argent, ne répondaient plus à ses appels. Quant aux investisseurs, aucun ne voulait se risquer plus loin tant que la situation n'était pas clarifiée.

Après deux mois et demi de tentatives infructueuses et deux lettres de mise en demeure de ses banques, Reb comprit qu'il lui fallait réunir ses équipes pour leur annoncer la faillite de Kolibro. Le moment venu, en arrivant dans le grand hall d'accueil, il sécha discrètement quelques larmes à la pensée de ses employés. Ils lui avaient fait confiance, et ils allaient se retrouver en grande difficulté… Quand il entra dans l'*open space*, Reb ébahi fut applaudi à tout rompre par ses employés debout. Martin, le premier embauché au service client, s'était alors avancé et lui avait remis ce cadre au nom de tous : « Tu n'as pas été le seul à te démener pour trouver une solution. Karima nous a tout expliqué. Comme les banques ne voulaient rien entendre, avec l'équipe, nous avons décidé de lancer une campagne de *crowdfunding* dans toutes les banlieues et les cités auprès desquelles nous intervenons. Grâce aux associations, leurs habitants se sont mobilisés et ont relayé notre message de détresse. Alors ce matin, tu peux être fier parce que nous avons gagné trois millions de nouveaux actionnaires. Chacun a investi entre cinq et dix euros. Et, apparemment, l'entreprise est sauvée. Compte sur nous pour reconstruire Kolibro sur des fondements encore plus solides qu'avant ! »

À ce souvenir, un grand sourire illumina le visage de Baptiste. « Voilà de quelle manière Kolibro s'est relevée. Pour la plupart des personnes qui s'étaient engagées à son secours, c'était la première fois qu'elles tenaient les rôles d'actionnaires et d'investisseurs. Ce jour-là, la finance est devenue une réalité concrète et vraiment bénéfique à tous. Elle a permis à une entreprise d'utilité collective de continuer son œuvre. Quant aux deux géants du *cloud*, ils ont entamé au même moment une longue phase de déclin. »

La forêt Verte et la forêt Noire

Adopter un comportement responsable n'est pas de la philanthropie, c'est avant tout une décision business.

Le sommet de la Sure commençait à se dessiner sur les hauteurs. Baptiste, qui marchait en tête, entra le premier dans une zone entourée de piquets orange. Dans ce parc, la roche semblait brûlée et les arbres, encore très jeunes, paraissaient avoir été plantés de manière méthodique et régulière. Lorsque Sofia entra dans la zone à son tour, son regard s'arrêta sur un large panneau aux couleurs du Parlement écologique mondial. Le texte mentionnait un incident qui s'était produit une quinzaine d'années plus tôt alors que la ville d'Échirolles relançait son industrie.

À l'époque, une dizaine d'entreprises familiales avaient décidé de revaloriser les forêts en produisant des barrettes de chauffage pour chaudières à bois. Un jeune entrepreneur ambitieux avait hérité de l'une d'elles, et l'avait rebaptisée Green Planet. Obnubilé par la productivité et le rendement, il avait réussi à racheter ses concurrents les uns après les autres. Sous la pression d'objectifs chiffrés et d'une cadence forcée, ses employés abattaient l'équivalent de deux terrains de football par jour au moyen d'énormes machines. Avant de replanter, et pour éviter de déblayer, ils mettaient le feu aux zones traitées. Pourtant, lors d'un été caniculaire, un vent inhabituel du sud s'était soudain levé. Les flammes étaient montées rapidement et, en une nuit, plus de cent hectares de forêt avaient brûlé, dont un tiers dans l'enceinte du parc écologique. Pendant trois jours, une armada de pompiers avait dû s'affairer à éteindre l'incendie.

Puisque Green Planet avait sciemment violé la réglementation écologique en vigueur, un tribunal avait alors condamné l'entreprise à rembourser l'intervention des pompiers sur ses deniers et à replanter la zone sinistrée du parc écologique. Il était en effet devenu inconcevable qu'une entreprise voyou laisse le contribuable payer ses propres pots cassés. Une histoire qui inspira une conclusion à Sofia : « En fait, ceux qui ne respectent pas la responsabilité sociale et environnementale qui leur incombe risquent de faire des économies au départ, mais à long terme elles auront tout à perdre... »

Alors qu'ils cheminaient à travers la zone réhabilitée, Sofia demanda à Baptiste de lui expliquer son métier. En effet, elle se souvenait qu'il « avait à voir avec tout ça », mais le « tout ça » restait très vague. Baptiste lui déclara qu'il travaillait chez Vig'Air, une agence de notation extra-financière qui permettait justement de mesurer l'impact social et environnemental des entreprises. Il y occupait le poste de directeur de la zone Amérique du Sud et avait notamment milité pour que l'impôt sur les sociétés soit harmonisé à l'échelle mondiale. Grâce à lui, il était désormais calculé non plus selon la réglementation du pays dans lequel le siège de la société était établi, mais d'après la note que Vig'Air lui avait attribué.

Pour mieux se faire comprendre, Baptiste détailla la manière dont Kolibro avait profité de ce classement d'un type nouveau. Convaincu que responsabilité et performance étaient indissociables à long terme, Reb avait construit son groupe et son modèle économique autour d'une mission d'intérêt général. Au bout de quelques années, ce choix, parfois qualifié de philanthropique, s'était mué en un avantage compétitif déterminant dans le succès du groupe.

À l'époque de la création de Kolibro, un mouvement populaire appelé les «pulls orange» avait fait la une des médias en France. C'était un mouvement de protestation né d'une série de crises économiques et sanitaires. L'État surendetté avait frôlé la banqueroute, et le gouvernement avait entrepris un plan d'austérité sans précédent divisant par deux le budget de l'Éducation nationale et supprimant tout simplement la Sécurité sociale. Un quart de la population française s'était alors retrouvé sous le seuil de pauvreté et sans emploi stable, dans un contexte où les inégalités sociales n'avaient cessé de se creuser. Après trois ans de violences et de manifestations, un nouveau gouvernement avait finalement fait adopter une loi obligeant les entreprises à s'acquitter d'un impôt indexé sur la «contribution nette de l'entreprise» à la société française. Kolibro, dont la mission consistait précisément à transformer et à réhabiliter les cités, fut ainsi de moins en moins imposée. Quant à ses concurrents, qui pratiquaient l'optimisation fiscale, la délocalisation des salariés et la rationalisation des coûts au profit des actionnaires, ils durent eux s'acquitter de sommes exorbitantes.

La Rivière et le Courant

Les consommateurs sont comme les gouttes d'un océan : ensemble, ils sont invincibles.

Alors qu'ils traversaient encore ce paysage autrefois mangé par les flammes, Baptiste découvrit que le pont de singe qui permettait de franchir sans encombre les tourbillons de la Vernaison gisait sur la rive. Le parrain et sa filleule n'eurent d'autre choix que de quitter le sentier balisé pour trouver un autre passage. À l'endroit où la rivière se rétrécissait et semblait moins menaçante se trouvait justement un tronc solide, permettant de joindre les deux rives. Baptiste céda à l'enthousiasme de sa filleule et accepta finalement de jouer les équilibristes avec elle. Mais, lorsque Sofia s'élança, son pied arracha une aspérité de l'écorce et elle perdit l'équilibre au milieu de la rivière. Une seconde après, elle était happée par les flots.

La jeune fille sentit l'eau glaciale transpercer ses vêtements et la panique l'envahir. Elle cherchait par tous les moyens à lutter contre le courant, mais la fatigue la gagnait rapidement. Accaparée par la peur, Sofia mit du temps à entendre les conseils de Baptiste : « Fais la planche comme à la piscine ! Mets tes pieds en avant et laisse-toi porter jusqu'à ce que le courant se calme ! » Épuisée, Sofia finit par obtempérer. La rivière la déposa plus bas sur une petite plage de cailloux, sur l'autre rive. Le cœur battant la chamade, elle reprit peu à peu ses esprits avant de rejoindre Baptiste en amont. Orgueilleuse, la jeune fille ne voulait rien laisser paraître de l'émotion qu'elle venait de vivre, et ils reprirent la marche. Après avoir cheminé en silence pendant près d'une heure le long de la rivière, ils s'arrêtèrent pour avaler quelques amandes et des raisins secs. Baptiste prit la parole d'une voix douce : « Tu as vu ? Constituée d'innombrables petites gouttes d'eau inoffensives, rien ne peut arrêter une vague. Pas même le plus gros de tous les barrages en béton... Lutter ne sert à rien, il faut se laisser porter par le courant.» Sofia, mi-figue mi-raisin, lui fit une grimace. «Je sens que tu as une idée derrière la tête!» En effet, Baptiste mourait d'envie de lui raconter le «triomphe de Kolibro», selon la formule consacrée par la presse internationale.

À ce moment-là, Kolibro semblait à son apogée. Implantée dans cent soixante-seize pays à travers huit cent quarante-trois filiales, l'entreprise avait contribué à la transformation de plus de vingt mille cités et banlieues partout dans le monde en pôles technologiques de pointe. Ceux-ci rassemblaient des laboratoires de recherche, des écoles et des lieux culturels, employant ainsi des millions de personnes. Kolibro était aussi devenue la première capitalisation du monde et avait intégré tous les secteurs qui fleurissaient dans ces anciennes «zones d'urbanisation prioritaires». À tel point que si l'entreprise avait été un pays, elle aurait mérité par son capital le rang de grande puissance mondiale. De son côté, Reb avait tenu parole et reversé à d'autres 80 % des dividendes qu'il avait perçus en tant qu'actionnaire.

Pour démocratiser encore l'actionnariat de Kolibro, la décision avait été prise de faire entrer l'entreprise à la Bourse de Paris. Gekko Capital s'était alors positionné pour investir plusieurs centaines de milliards et, à terme, se rendre maître de l'entreprise. Lorsque leur projet d'investissement avait été relayé dans la presse, une mobilisation internationale sans précédent, menée autant par les pulls orange que par les employés, avait été lancée. En tout, vingt-trois millions de lettres avaient été envoyées au CEO de Gekko Capital. Leur contenu était identique: «Nous ne voulons pas de votre argent, nous ne voulons pas de vous, et si vous réussissez néanmoins à entrer au capital, Kolibro sera boycottée.» Montré du doigt à cause d'un supposé manque de réaction à ce phénomène, Reb avait essuyé les critiques acerbes de militants qui l'accusèrent de concentrer trop de pouvoir entre ses mains. Ce sentiment provenait pour beaucoup du fait que, par sa position de multinationale, Kolibro devait veiller à ne pas tomber dans les travers du système qu'elle cherchait à combattre. Lors de l'assemblée extraordinaire des actionnaires organisée pour présenter la proposition de Gekko Capital, les esprits étaient si échauffés et les risques de débordements si élevés que les forces de l'ordre avaient été mandatées sur place. Toutes les personnes présentes se perdaient cependant en conjectures sur ce que pensait vraiment Reb, resté silencieux les semaines précédentes. S'était-il rangé du côté des capitalistes de l'ancien monde ? Était-il malade ? En guise d'ouverture de la séance, maître Zaouri, l'avocat de Reb, lut simplement le message que son client lui avait confié :

« Mes chers amis, collègues et partenaires, comme vous avez pu le constater, je ne suis pas parmi vous cet après-midi. Si vous êtes assis dans cette salle, c'est qu'un jour vous avez reçu la Charte de confiance dans laquelle je vous avais promis qu'ensemble, nous accomplirions l'impossible. Eh bien nous l'avons fait ! Nous voici en 2050. Nos bureaux, installés dans le monde entier, ont transformé des poches de misère abandonnées par les pouvoirs publics en zones parmi les plus attractives et dynamiques de la planète. Grâce à notre collaboration avec des associations partenaires, plus de cinquante millions de jeunes ont déjoué la fatalité, et composent même l'immense majorité de nos effectifs. Alors il est temps pour moi de tourner la page, pour le bien même de Kolibro. Nous nous sommes toujours battus contre des dinosaures qui se croyaient trop forts pour craindre qui que ce soit. Vous le savez, je ne voulais pas que Kolibro devienne comme eux. C'est pourquoi je propose que les huit cent trente-quatre entreprises qui composent le groupe deviennent indépendantes. Et je cède 80 % de mes actions aux associations qui, en siégeant au conseil d'administration, veilleront à préserver notre mission d'intérêt général. Je fais confiance à chacun d'entre vous pour préserver nos valeurs et la culture de l'entreprise. Longue vie à Kolibro ! »

Furieux, les représentants du fonds d'investissement Gekko

Capital avaient quitté prestement la salle : le démantèlement du groupe signait en effet leur ruine. Quant aux membres des associations, abasourdis, ils prirent conscience qu'ils étaient devenus actionnaires. Un sentiment d'euphorie s'empara de la foule. Ils remplacèrent le contenu de leurs banderoles digitales par des slogans de victoire et festoyèrent avec la maréchaussée. Oui, la finance pouvait bel et bien s'avérer un outil incroyablement positif !

Le symbole de Kolibro

On peut tous agir à notre échelle pour rendre le monde meilleur.

Sofia goûtait le courant d'air frais qui lui caressait le visage dans la montée. Elle se sentait apaisée, rassérénée par tout ce que son parrain lui avait confié. Quelques mètres encore, et ils atteignirent enfin le sommet de la Sure. Le soleil était haut dans le ciel, et la vue sur le parc national des Écrins époustouflante. La jeune fille fut tirée de sa contemplation par un rocher sculpté en forme de colibri, qu'elle aperçut non loin d'elle. En s'approchant, elle découvrit, sous les pattes de l'oiseau, une plaque gravée d'un message.

Un jour, un immense incendie se déclencha dans la forêt. Les animaux, terrifiés, prirent la fuite. Et, depuis leur refuge, ils observèrent le désastre, impuissants. Seul un colibri s'activait, allant collecter à la rivière quelques gouttes dans son bec pour les jeter sur le brasier. Après un moment, le tatou, agacé, l'apostropha. « Colibri, tu n'es pas fou ? Ce n'est pas avec ces gouttes d'eau que tu vas éteindre le feu ! » Le colibri répondit : « Je sais, mais je fais ma part. » L'oiseau-mouche ne faisait pas simplement de « son mieux », ni seulement « sa part »... Il volait aussi de cœur en cœur, et finit par inspirer ses camarades de la forêt. Suivant son exemple, le pélican se lança à l'assaut de l'incendie. Quand il revint de son vol puissant et qu'il vida le contenu de son goitre dans les flammes, une étincelle d'espoir apparut. À la suite du volatile pataud, peu à peu, tous suivirent le mouvement. On ne savait d'où les animaux venaient, ils apparaissaient comme par enchantement. Mais une chose était certaine : le mouvement lui-même était devenu contagieux. Les quelques gouttes du plus petit des oiseaux s'étaient transformées en une pluie torrentielle et invincible. Car l'impossible semble toujours impossible, jusqu'à ce qu'on le réalise. »

Sofia sourit en découvrant que la plaque portait comme signature « Le mouvement Kolibro ». elle connaissait la suite. Le départ de Reb datait de six mois. Depuis, il avait pris un poste de professeur à l'université d'Éden, où il était chargé de l'accueil des jeunes migrants qui débarquaient par milliers à cause de récentes pénuries d'eau potable. Le jour où les huit cent trente-quatre filiales avaient pris leur indépendance, Kolibro était devenue davantage qu'un groupement d'entreprises : le symbole de la confiance, de l'ouverture d'esprit et de l'audace, semant dans son sillage des idées pour relever les grands défis de l'humanité. L'œuvre de Reb avait rendu manifeste, et même prouvé financièrement et humainement, le lien ténu et incontestable qui unissait la RSE[86] à la performance économique sur le long terme. Grâce à cet exemple, des milliers d'entrepreneurs et d'acteurs financiers avaient émergé et confirmé la viabilité d'un modèle aux antipodes du capitalisme sauvage symbole d'un temps révolu. Toutefois, comme l'avait compris Nelson Mandela, le combat ne s'arrêtait pas pour autant. « Après avoir gravi une haute colline, tout ce qu'on découvre, c'est qu'il y en a encore beaucoup d'autres à gravir.[87] »

Qu'il s'agisse ou non d'une fable importait peu : l'histoire du colibri avait inspiré Sofia. Désormais, elle savait ce qu'elle allait écrire dans sa lettre de motivation pour l'Atlantic University. Au cours des deux derniers jours, elle avait pris conscience qu'il fallait cesser d'attendre que « les autres » agissent. Certains actes, pris séparément, semblent parfois dérisoires ; mais la somme de ces petites actions a le pouvoir de créer des torrents capables à leur tour de déplacer des montagnes.

Surtout, Sofia savait que c'était l'écologie, ce « soin de la maison commune », qui remplirait sa vie et concentrerait toute son énergie. Parce que le masque anti-pollution n'était qu'un palliatif: le prochain défi serait de purifier l'air à grande échelle, et vite. Telle serait sa mission! Fière de son père, si discret sur sa vie professionnelle, la jeune fille disposait à présent avec lui d'une nouvelle source d'inspiration. Elle était à présent convaincue de l'impact puissant des entreprises inscrivant une mission d'intérêt général au cœur d'un modèle économique viable. À cause de sa condition privilégiée, elle comprenait mieux désormais pourquoi son père avait fait si attention à ce qu'elle ne soit pas trop gâtée et éprouve par elle-même la valeur du travail. Elle était consciente de la chance qu'elle avait, et savait qu'elle n'avait pas le droit de la gâcher. Le légende du colibri lui fit enfin mesurer combien la réussite de Kolibro reposait sur des hommes et des femmes talentueux, conscients du potentiel que contient la différence comprise et acceptée. Bien que Sofia souhaitât tracer sa propre voie, elle décida alors de s'inspirer de ces mêmes piliers qui avaient mené Kolibro jusqu'au succès. Ces piliers, elle les avait compilés soigneusement dans son carnet de notes.

Extraits du carnet de notes de Sofia

La différence est une force lorsqu'elle est comprise et acceptée.

Nous ne naissons pas tous égaux à la naissance, et ce sont souvent les gens que l'on pense capables de rien qui réalisent des choses extraordinaires.

Replacer la personne humaine au cœur, car elle a de la valeur.

Réapprendre à faire confiance : un mode de relation au cœur de la vie sociale, de la politique et du business.

L'importance de l'alignement de toutes les parties prenantes autour d'une cause qui les dépasse.

Le leadership du service et de la confiance plutôt que celui du donneur d'ordres.

L'économie sociale et solidaire n'est plus un système pour hippies à dreadlocks.

La loyauté est une voie à double sens : si tu la demandes, alors tu la donnes en retour.

Adopter un comportement responsable n'est pas de la philanthropie, c'est avant tout une décision business.

Les consommateurs sont comme les gouttes d'un océan : ensemble ils sont invincibles.

On peut tous agir à notre échelle pour rendre le monde meilleur.

Épilogue

Si notre connaissance du monde se limite au journal télévisé, alors il est légitime de croire que le monde va mal. Très mal, même : guerres, attentats-suicides, catastrophes climatiques... Rien ne peut nous rassurer. Notre génération va certes devoir relever des défis climatiques et sociaux immenses. Pourtant – et c'est ce que je me suis efforcé de faire dans cet ouvrage –, notre analyse du monde doit aller au-delà de ce seul point de vue terrifiant qui promet un avenir toujours plus sombre.

Je pense comme tant d'autres que notre époque est plus complexe qu'elle ne le paraît dans les médias. Je plaide pour la nuance, les points de vue divergents et les opinions multiples. J'aspire enfin à ce qu'on diffuse aussi les bonnes nouvelles, les initiatives louables, le vécu et le quotidien. Bref, il nous incombe à tous, et c'est même notre responsabilité propre, de croiser les sources d'information, voire de nous rendre sur place pour comprendre le monde et ses enjeux dans leur réelle complexité.

Quant à moi, au gré de mes aventures proches et lointaines, je suis devenu un optimiste pragmatique. En partant à la rencontre des acteurs du changement, j'ai pu échanger avec des centaines d'hommes et de femmes incroyables qui m'ont donné des raisons d'espérer. Malgré leur trop faible visibilité, ils continuent d'agir à leur échelle et contribuent à changer le monde en profondeur. Le secret de ces belles rencontres se résume pour moi en trois mots : curiosité, ouverture d'esprit et respect. Avec cet état d'esprit, vous serez prêts à rencontrer n'importe qui dans le monde. Et ne vous privez pas de dire « merci ». Ce petit mot « magique » de cinq lettres fait des merveilles. Quelle que soit la culture, le pays ou la religion, son pouvoir est universel !

Les enquêtes de terrain relatées dans ce livre, dans une soixantaine de pays à la découverte des quatre grandes sphères d'influence, m'ont permis d'apporter un début de réponse aux questions que je me posais sur ma mission et ma vocation. Quels sont les rouages de ces sphères d'influence ? Comment le monde fonctionne-t-il ? Quels sont les moyens d'action à notre disposition pour rendre le monde meilleur ? Avant de chercher à changer les choses et les gens pour qu'ils nous correspondent davantage, la première chose à faire est de changer soi-même : sortir de soi, tourner son regard vers l'autre et se mettre en route.

Alors, que puis-je faire à mon échelle ? Cette question s'adresse à tout le monde. Certes, je suis encore jeune et le monde est vaste et rempli d'inconnu. Pourtant, en dix ans de pérégrinations, je suis parvenu à trois conclusions qui sont devenues des convictions :

• Nous pouvons tous agir à notre échelle ;

• Nous ne sommes pas tous égaux à la naissance ;

• La différence, lorsqu'elle est comprise et acceptée, est une véritable force.

Les leaders qui réussiront à insuffler le changement seront ceux qui s'attacheront à tisser des liens de confiance entre les personnes. dans leur cercle amical et familial, à l'échelle de leur entreprise, au sein de mouvements associatifs et citoyens, et, pour certains d'entre eux, à l'échelle même de leur nation ou d'organisations internationales. Pour que leur action soit efficace, il leur faudra aussi savoir transformer l'anxiété, la défiance et la haine en confiance et paix. Vaste programme !

Enfin, j'espère que ce voyage temporel en 2050 en compagnie de Sofia créera des vocations. Certes, l'entreprise Kolibro créée par son père est un pur produit de mon imagination, mais j'aime à croire que le scénario est crédible et qu'une telle organisation verra le jour dans les années à venir. Ce conte a surtout pour vocation de vous inviter à réfléchir à la mission que vous pourriez entreprendre pour relever les grands défis du siècle et contribuer à rendre notre monde plus juste. Ce changement ne pourra se faire sans l'engagement des entrepreneurs, des employés, des financiers, des syndicats, des militants, des élus politiques, des journalistes, des parents, des citoyens, etc., en vue du bien commun. Mais il ne pourra pas non plus se faire sans vous. Alors, s'il faut changer le système en profondeur, n'attendons pas les bras croisés que d'autres s'en chargent à notre place !

Ami lecteur, c'est à toi de te poser cette dernière question : que puis-je faire, dès aujourd'hui, pour apporter ma pierre à l'édifice, ma goutte d'eau sur l'incendie, mon cœur aux enfants de la Terre ?

Nous sommes la Génération Impact. Bonne route à chacun de vous !

Où partiront les droits d'auteur du livre ?

Parce que chacun peut avoir de l'impact à sa propre échelle, j'ai fait le choix de reverser l'intégralité de mes droits d'auteur à BN Asso, l'association derrière le média Banlieusard Nouveau qui valorise les talents des quartiers.

J'ai rencontré Amadou Dabitao, le fondateur de Banlieusard Nouveau et de BN Asso, dans le cadre d'un jury où il avait présenté son projet. Originaire de Gennevilliers, dans les Hauts-de seine, il y a fondé un média au cœur de la banlieue parisienne. Ingénieur en informatique de formation, il a quitté en 2020 son poste de développeur web afin de générer un impact positif dans le milieu qui l'a vu grandir et dont il a expérimenté les bons comme les mauvais côtés.

Amadou a lancé ce média avec l'objectif de valoriser des talents venant des quartiers en leur offrant une tribune qui mette en valeur leurs projets et leurs actions. À terme, il s'agit de mettre en place un cercle vertueux : favoriser l'émergence de modèles afin qu'ils influencent les jeunes issus des quartiers populaires.

Les droits d'auteur générés par ce livre permettront ainsi :

• d'acheter des caméras, micros et autres matériels techniques afin de produire pour les jeunes du contenu de bonne qualité et valorisant ;

• de contribuer à l'organisation d'un évènement intitulé « Banlieusard Valley », visant à rendre l'entrepreneuriat plus accessible dans les quartiers ;

• de participer au financement de la formation de plusieurs jeunes aux métiers des médias.

Remerciements

Je remercie toutes les personnes qui m'inspirent chaque jour dans la rue, au travail, sur le web et dans mon quotidien. J'aimerais commencer par remercier tous les activistes connus et inconnus qui se battent sans relâche pour rendre notre monde un peu meilleur ainsi que toutes les personnes que j'ai citées dans ce livre.

Un grand merci à tous les membres et bénévoles d'ONG, aux fondateurs, chefs d'entreprises et décideurs politiques engagés, aux journalistes positifs et aux citoyens portés par l'envie d'agir qui ont accepté de me consacrer du temps, qui m'ont permis de remettre en question de nombreuses réalités, et qui m'ont accueilli dans leur foyer et leur quotidien.

Je pense à Apnalaya en Inde avec Rama Shyam, Ninad Salunkhe, Renuka Wagh, Sonya Ochaney et Arun Kumar. Nyaka en Ouganda avec Shabnam Olinga, Jennifer Nantale, Freda et Peter Tjk. Carolina for Kibera au Kenya avec Mercy Owuor, Ann Kungu, Jeffrey Okoro et Kennedy Juma. Friends International avec Sébastien Marot, Saroeun, Ampor Sam-Oeun, Didi et Sara Perry. Massabielle avec Nathan, Jean, Philippine et Kader. Mais aussi Anyango Mpinga, Cyrielle Hariel, Hortense Decaux, Samantha Elghanayan, Shauna, la famille Siteki, Faith, Belinda, Peter, Immaculate, Celestine, Rithy Thul, Frédéric Dubois, Darong Chour, Gabi, Yolande, Kathy, Saïd, Roselyne, Mathis, Amor, Sébastien, Nicky Ward,

Moussa Camara, Yasemin Sirali, Mesut Keskin, Izabela Ersahin, Batuhan Aydagul, Zola Batkhuyag, Ulziitogtokh Sodn Omsenge, Sofiane Kassimi, Odgerel, Enkhjin Batjargal, Batjin Boldat, Asmaa, Ashe McGovern, Bala, Paul Duan, Yassine, Abu Musuuza, Betty, Li Chao, Yan Xue, Thomas Gonnet, Andy, Lucie Basch, Andy Halsall, Zsolt Bugarszki, Loubna Ksibi, Sylvain Ferriere, Hubert Motte, Nezzia, Maari Ross, Liene Reine-Miteva, Eva K Ponomarjov, Erkki Kubber... et bien d'autres encore que je ne peux citer ici !

Je remercie les équipes d'EPIC, sans lesquelles la plupart de mes aventures au sein d'ONG incroyables n'auraient pas été possibles. Et en particulier Myriam Vander Elst, qui m'a lancé le défi de la première aventure.

Merci à Bob Collymore, qui nous a malheureusement quittés des suites d'un cancer. Il fut l'un des dirigeants les plus inspirants que j'ai rencontrés. Alors qu'il dirigeait l'une des entreprises les plus influentes d'Afrique de l'Est et Afrique centrale, il avait pris le temps de me recevoir à Nairobi pour évoquer son combat contre la corruption et pour me prouver combien il est important de donner des figures d'exemple aux jeunes générations.

Je remercie Govind, du même âge que moi, qui m'a rappelé la chance que j'avais de pouvoir avoir des rêves, lui qui appartient à la caste des intouchables en Inde. Lorsque je me plains, je repense à notre échange dans le métro de Bombay.

Je n'oublierai jamais Ailis, rencontré dans la cité de Bellevue, dans les quartiers nord de Marseille. À quatre ans, il a fait voler en éclats de nombreux préjugés sur les banlieues. Tous les matins, nous jouions au jeu des prénoms. Depuis, grâce à lui, je me souviens des prénoms de ses camarades de jeux : Rama, Aïssa, Yassine, Safia, Rayana, Djibril, Aaron, Chaimaa, Mohammed, Abder, Jade, Aisser, Stéphane, Sabrina, Aissam, Matisse, Abdu et Cadija.

Je remercie Faith, qui m'a donné la plus belle leçon de leadership lorsqu'elle nous a accueillis dans sa minuscule baraque en tôle dans le bidonville de Kibera, au Kenya.

Je remercie mes quatre mentors sans lesquels tout ceci ne se serait jamais passé : mon père qui me connaît mieux que personne, Alexandre Mars qui m'inspire dans ma vie de jeune activiste, Charles-Henri Prevost qui m'a donné ma chance, et Anne de Kerckhove qui me prodigue régulièrement ses conseils.

Un grand merci à toi, Violaine Ricard, qui m'a soutenu sans relâche dans cette aventure d'écriture. Tu es brillante, talentueuse et très modeste. Merci d'avoir travaillé avec moi alors que tu croules sous les propositions. Merci à toi, Pierre Siankowski, pour toutes tes propositions d'améliorations constructives lors des phases de relectures. Merci à mon éditeur, Aymeric Jeanson, qui a cru dans ce projet et qui a toujours fait preuve de bienveillance tout au long de nos échanges.

À tous mes amis, merci de m'avoir encouragé ! Je pourrais partir de nouveau dans une longue liste mais je m'abstiendrai. Vous êtes très importants dans ma vie. Merci de votre soutien lorsque j'en avais besoin.

À toi, F. Si tu lis ce livre, je sais que tu te reconnaîtras. Je ne te remercierai jamais assez pour le trésor que tu m'as laissé. Comme tu le sais déjà, tu pourras toujours compter sur moi.

Je ne remercierai jamais assez mes quatre frères et sœurs Marine, Quentin, Matthieu et Claire, qui m'ont tous accompagné dans mes aventures associatives. J'ai beaucoup de chance de vous avoir !

Merci à toi, Sarah, pour ta patience à m'écouter parler de ce livre pendant des mois, et pour ton soutien.

À mes parents chéris, merci pour votre amour en toutes circonstances. Vous m'avez appris à toujours voir le bon côté des choses et, grâce à vous, je me suis ressaisi lorsqu'il le fallait.

MERCI !

Notes

1. Apnalaya, https://apnalaya.org/

2. Hubert Prolongeau, « L'Ouganda vit et se bat avec le sida », *Le Monde diplomatique*, décembre 1994, https://www.monde-diplomatique.fr/

3. Méthode destinée à rendre des individus ou des groupes capables d'agir davantage sur les conditions sociales, économiques, politiques ou écologiques auxquelles ils sont confrontés.

4. Cambodian Children's fund, https://www.cambodianchildrensfund.org/

5. Epic Foundation, https://epic.foundation/

6. Ce chiffre comprend les dons effectués par Alexandre Mars lui-même.

7. Méthode de transport de stupéfiants par véhicules roulant à grande vitesse afin d'éviter les contrôles de douane et de police.

8. Marie-Anne Valfort, *Discrimination religieuses à l'embauche, une réalité*, Institut Montaigne, 2015, https://www.institutmontaigne.org/publications/discriminations-religieuses-lembauche-une-realite

9. Mozaik RH, *10 conseils pour un recrutement inclusif !*, https://mozaikrh.com/entreprises/

10. Brian Welle, *Unconscious Bias Workshop*, Google, 2014, https://rework.withgoogle.com/guides/unbiasing-raise-awareness/steps/watch-unconscious-bias-at-work/

11. Vivian Hunt, Lareina Yee, Sundiatu Dixon-Fyle, *Delivering Through Diversity*, McKinsey & Company, 2018, https://www.mckinsey.com/business-functions/organization/our-insights/delivering-through-diversity

12. Film américain réalisé par Oliver Stone, sorti en 2010.

13. *Average total annual compensation per full-time equivalent employee in the United States from 2000 to 2019*, Statista, https://www.statista.com/statistics/243846/total-compensation-per-employee-in-the-us

14. https://www.lemonde.fr/les-decodeurs/article/2018/05/14/les-dividendes-distribues-dans-le-monde-ont-augmente-de-30-en-sept-ans_5298891_4355770.html

15. Janus Henderson, *Janus Henderson Global Dividend Index*, https://www.janushenderson.com/fr-fr/advisor/jh-global-dividend-index/

16. Buffet Indicator, Current market valuation, mise à jour du 23 décembre 2020, http://www.currentmarketvaluation.com/models/buffett-indicator.php

17. Il faut certes nuancer cet emballement financier en considérant l'inflation, les méthodes de calculs des actifs intangibles, l'évolution des taux d'intérêts ou encore les politiques économiques des États.

18. Élise Lucet, « Quand les actionnaires s'en prennent à nos emplois », *Cash Investigation*, 2014, https://www.dailymotion.com/video/x2igr9e

19. Le prénom a été modifié dans le cadre de l'écriture de ce livre.

20. Le nom de l'entreprise a été modifié dans le cadre de l'écriture de ce livre.

21. *Mortality rate, infant (per 1,000 live births)*, World Bank, https://data.worldbank.org/indicator/SP.DYN.IMRT.IN

22. Vivian Hunt, Bruce Simpson, Yuito Yamada, *The stakeholder capitalism*, McKinsey & Company, 2020, https://www.mckinsey.com/business-functions/strategy-and-corporate-finance/our-insights/the-case-for-stakeholder-capitalism

23. *Access to electricity (% of population)*, World Bank, https://data.worldbank.org/indicator/EG.ELC.ACCS.ZS

24. *Life expectancy at bith, total (years)*, World Bank, https://data.worldbank.org/indicator/SP.DYN.LE00.IN

25. *Immunization programme*, Unicef for every child, https://www.unicef.org/immunization

26. *Mind the gap misperceptions about the world*, Ipsos Public Affairs, 2017, https://www.ipsos.com/sites/default/files/ct/publication/documents/2018-04/mind-the-gap-misperceptions-about-the-world.pdf

27. Ilya A. Strebulaey, Will Gornall, *The Economic Impact of Venture Capital: Evidence from Public Companies*, Graduate School of Stanford Business, 2015, https://papers.ssrn.com/sol3/papers.cfm? abstract_id=2681841

28. «Un grand pouvoir implique de grandes responsabilités!»

29. Aristote, *La Morale*, dans *Éthique à Nicomaque*, Livre IV, http://remacle.org/bloodwolf/philosophes/Aristote/morale4.htm

30. Alexandre Mars, *La révolution du partage*, Éditions Flammarion, 2018.

31. *Programming for a better future*, Codi Tech, https://codi.tech/

32. Chuck Feeney, *Forbes*, 2020.

33. Steven Bertoni, «Le milliardaire qui voulait mourir fauché... est maintenant officiellement fauché», *Forbes*, 2020, https://www.forbes.fr/business/exclusif-le-milliardaire-qui-voulait-mourir-fauche-est-maintenant-officiellement-fauche

34. www.lesechos.fr, «Mon expérience en finance m'a appris que rien n'est éternel», Stephen Schwarzman, 18 octobre 2019.

35. Blisce, https://Blisce.com/?lang=fr

36. Environnement Social Gouvernance.

37. B Corporation, https://bcorporation.eu/about-b-lab/country-partner/france

38. B Corporation, https://bcorporation.eu/

39. Prodigy Finance, Crunchbase, https://www.crunchbase.com/organization/prodigy-finance/company_financials

40. Joe McCarthy, *Soil in the Arctic Is Now Releasing More Carbon Dioxide Than 189 Countries*, Global Citizen, 2019, https://www.globalcitizen.org/fr/content/arctic-soil-releasing-carbon-dioxide/

41. Quirin Schiermeyer, «Ocean greenery under warming stress», *Nature*, 2010, https://www.nature.com/news/2010/100728/full/news.2010.379.html

42. *Climate change already impacting migration patterns around the world*, United Nations University – Institute for Environment and Human Security, 2015, https://ehs.unu.edu/media/in-the-media/climate-change-already-impacting-migration-patterns-around-the-world-2.html

43. L'Affaire du siècle, https://laffairedusiecle.net/qui-sommes-nous/

44. Alexander Smith, « Norway wealth fund to test business model of biggest CO2 emitters », Reuters, 2020, https://www.reuters.com/article/us-norway-swf-idUKKBN25U1MN

45. ESG term worldwide search, Google trends, https://trends.google.com/trends/explore? date=all&q=ESG

46. Gunnar Friede, Timo Busch, Alexander Bassen, « ESG and financial performance : aggregated evidence from more than 2000 empirical studies », *Journal of Sustainable Finance & Investment*, 2015, https://www.researchgate.net/publication/287126190_ESG_and_financial_performance_Aggregated_evidence_from_more_than_2000_empirical_studies

47. Witold Henisz, Tim Koller, Robin Nuttall, *Five ways that ESG creates value*, McKinsey & Company, 2014, https://www.mckinsey.com/business-functions/strategy-and-corporate-finance/our-insights/five-ways-that-esg-creates-value

48. Camille Dufetel, « 7 000 à 10 000 litres d'eau pour fabriquer un jean : comment arrêter les frais », *L'info durable*, 2020, https://www.linfodurable.fr/conso/7000-10-000-litres-deau-sont-necessaires-pour-fabriquer-un-jean-comment-arreter-les-frais

49. Pascal Demurger, « Bye Bye Amazon ! », Linkedin, 2020, https://www.linkedin.com/pulse/point-de-vue-bye-amazon-pascal-demurger/

50. Technique financière permettant aux banques de sortir la dette de leur bilan comptable et de la proposer sous forme de titres financiers à des investisseurs tiers.

51. Andréa Brignone, « Les nouvelles règles de la titrisation », Formation Banque Finance Assurances, 2017, https://www.afges.com/nouvelle-regles-titrisation/

52. Robert D. Putnam, *Making Democracy Work : Civic Traditions in Modern Italy*, Princeton University Press, 1993.

Kenneth Newton, *Trust, Social Capital, Civil Society, and Democracy*, Sage Publications Ltd, 2001.

Michael Woolcock, « The Place of Social Capital in Understanding Social and Economic Outcomes », *Canadian Journal of Policy Research*, 2001, https://www.researchgate.net/publication/269576288_The_Place_of_Social_Capital_in_Understanding_Social_and_Economic_Outcome

53. S. Knack, P. Keefer, «Does Social Capital Have an Economic Payoff», *Quarterly Journal of Economics*, The MIT Press, 1997, http://www.jstor.org/stable/2951271 ? origin=JSTOR-pdf

Paul J. Zak, Stephen Knack, «Trust and Growth», *The Economic Journal*, 2001, https://doi.org/10.1111/1468-0297.00609

54. Ronald Inglehart, *Trust, Well-being and Democracy*, Cambridge University Press, 1999, https://www.cambridge.org/core/books/democracy-and-trust/trust-wellbeing-and-democracy/24E681150E0B0D0557E7D20AAF195FAF

55. Eric M. Uslaner, *The Moral Foundations of Trust*, 2002, http://gvptsites.umd.edu/uslaner/uslanermoralfoundations.pdf

56. John F. Helliwell, Shun Wang, «Trust and Wellbeing», *International Journal of Wellbeing*, 2011, https://www.researchgate.net/publication/49615205_Trust_and_Wellbeing

57. Bo Rothstein, Dietlind Stolle, *The Quality of Government and social capital: A theory of Political institutions and Generalized Trust*, The QOG Institute quality of government, 2007.

58. *Le Journal du dimanche*, Ifop, novembre 2020, https://www.ifop.com/wp-content/uploads/2020/11/117712-Résultats.pdf

59. Stephen Coleman, Minnesota Department of Revenue, «The Minnesota income tax compliance experiment: State tax results», avril 1996, https://mpra.ub.uni-muenchen.de/4827/1/MPRA_paper_4827.pdf

60. World Value Survey, 2017-2020 Dataset, http://www.worldvaluessurvey.org/WVSOnline.jsp

61. «47,1 millions d'électeurs présents en avril 2019 sur les listes électorales françaises», Insee, janvier 2020, https://www.insee.fr/fr/statistiques/4134308#figure2_radio1

62. «Affaire Alstom: après 25 mois de prison aux États-Unis, Frédéric Pierucci s'exprime sans filtre», RT France, 2019, https://francais.rt.com/international/63920-affaire-alstom-apres-25-mois-prison-etats-unis-frederic-pierucci-s-exprime-sans-filtre

63. «Aides d'État: la Commission considère que le Luxembourg a accordé à Amazon des avantages fiscaux illégaux pour un montant d'environ 250 millions d'euros», Commission européenne, 2017, https://ec.europa.eu/commission/presscorner/detail/fr/IP_17_3701

64. *La syndicalisation*, Ministère du Travail, de l'Emploi et de l'Insertion, 2016, https://dares.travail-emploi.gouv.fr/dares-etudes-et-statistiques/statistiques-de-a-a-z/article/la-syndicalisation

65. World Value Survey, déjà cité.

66. « Indispensable, l'indicateur de temps de lecture ? », *Œil au carré*, mars 2020, https://www.oeil-au-carre.fr/webzine/articles/indicateur-temps-lecture/

67. World Value Survey, déjà cité.

68. *The Deloitte Global Millennial Survey 2019*, Deloitte, 2019, https://www2.deloitte.com/content/dam/Deloitte/global/Documents/About-Deloitte/deloitte-2019-millennial-survey.pdf

69. « Study: On Twitter, false news travels faster than true stories », *MIT News*, mars 2018, https://news.mit.edu/2018/study-twitter-false-news-travels-faster-true-stories-0308

70. Un « bot » désigne un logiciel opérant de manière autonome et automatique.

71. Pierre Rosanvallon, Xavier de La Porte, Pascal Riché, « Le conspirationnisme naît de la démocratie inachevée », *L'Obs*, décembre 2020.

72. Pierre Rosanvallon, *L'Obs*, 17 décembre 2020.

73. Patrick Eveno, *La Revue des deux mondes*, 1er février 2019.

74. « Baromètre IRSN 2020 : La perception des risques et de la sécurité par les Français », Institution de la radioprotection et de sûreté nucléaire, juin 2020, https://www.irsn.fr/FR/IRSN/Publications/barometre/Documents/IRSN_Barometre_2020-analyse.pdf

75. *Anger is More Influential Than Joy: Sentiment Correlation in Weibo*, State Key Laboratory of Software Development Environment, Beihang University, Beijing 100191, P.R.China, https://arxiv.org/pdf/1309.2402v1.pdf

76. Gérald Bronner, Guénaëlle Le Solleu, Jean-Paul Arif, « Le satisfaisant intellectuellement gagne sur le vrai », *L'Éléphant*, avril 2020.

77. C'est le cas de « Hygiène mentale », « Tronche en biais », « Dirty biology » ou encore « Audrey What the fake ».

78. https://www.lepoint.fr/societe/brut-un-media-100-video-qui-cartonne-chez-les-jeunes-et-a-l-international-04-12-2020-2404157_23.php

79. À certains moments de la crise du Covid-19, le port du masque a été rendu obligatoire dans tout l'espace public.

80. La National Security Agency (NSA) est l'une des principales et plus puissantes agences de renseignement américaines, spécialisée dans la surveillance et le renseignement digitaux.

81. «Maroc: le boycott aura coûté 178 millions d'euros à Danone», *Jeune Afrique*, février 2019, https://www.jeuneafrique.com/737259/economie/danone-des-resultats-annuels-en-berne-au-maroc-en-raison-du-boycott-de-2018/

82. Estelle Maussion, «Le boycott de Danone au Maroc, une bonne leçon sur la gestion de la crise», *Slate*, janvier 2019, http://www.slate.fr/story/171975/economie-danone-maroc-boycott-gestion-de-crise-communication

83. Porter Novelli, Cone, «90 Percent of Gen Z Tired of how negative and divided our country is around important issues», Cision PR Newswire, octobre 2019, https://www.prnewswire.com/news-releases/90-percent-of-gen-z-tired-of-how-negative-and-divided-our-country-is-around-important-issues-according-to-research-by-porter-novellicone-300943452.html

84. Acteur du changement.

85. Technologie de stockage et de transmission d'informations permettant à des utilisateurs connectés en réseau de partager des données sans intermédiaire. La *blockchain* permet que les règles soient fixées une fois pour toutes. Et, ainsi, que son accès soit garanti via un montant accessible au plus grand nombre.

86. Responsabilité sociale des entreprises

87. Nelson Mandela, *Un long chemin vers la liberté.*

Table des matières